光文社文庫

長編推理小説

回廊亭殺人事件

『回廊亭の殺人』改題

ひがしの けい ご
東野圭吾

光 文 社

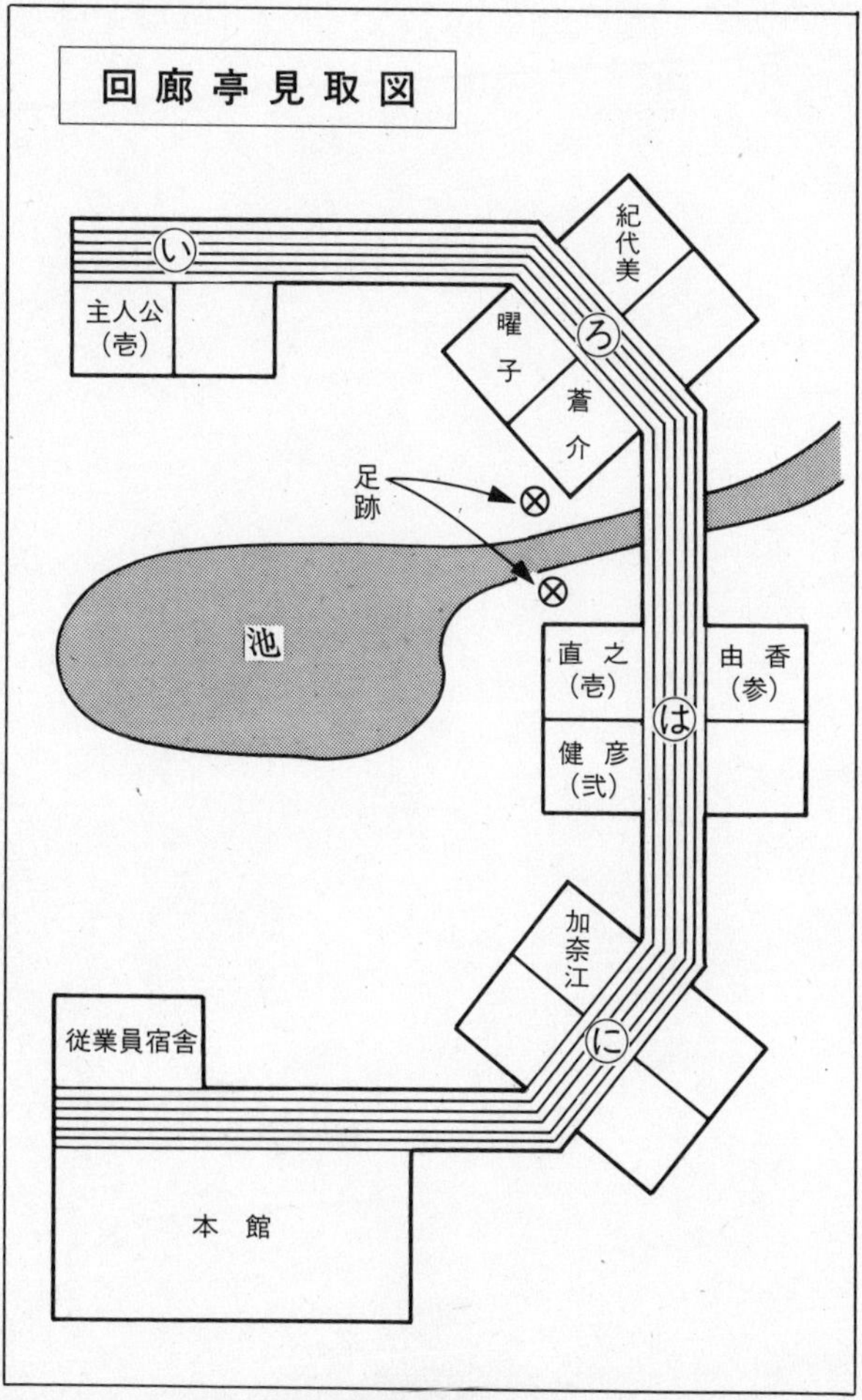
回廊亭見取図
い
主人公
(壱)
紀代美
ろ
曜子
蒼介
足跡
池
直之
(壱)
由香
(参)
は
健彦
(弐)
加奈江
に
従業員宿舎
本館

一

私は老婆だ。間もなく七十歳になる老婆なのだ――。

切符を渡して改札口を出ると、ようやく少し緊張がほぐれた。大丈夫だと信じていても、見抜かれはしないかと、電車の中ではうつむきっぱなしだったのだ。向かいに座っていた学生らしき若者は、婆さんには全く興味がないとばかりに、漫画雑誌を読みふけっていたのだけれど。この程度で緊張していてはいけない。自信を持つことだ。堂々としていればいい。そうすれば誰も怪しんだりしない。

切符売り場の横に鏡があった。何気ないふりを装って、その前に立ってみる。ほらごらんなさい、どこから見ても品の良いお婆ちゃんにしか見えない。

自信を失わぬこと。それがすべてだ。

さて、と私は駅前を眺めた。大きな駅ではない。一応ロータリーらしきものはあるが、路線バスと呼べるほどのものが走っていないことは承知している。ここがもっと便利になれば観光客も増えるでしょうにと、高顕（たかあき）氏によくいったものだが、ここは俗っぽくない点だけが取り柄なのだと彼は笑うのだった。

　タクシー乗り場と書かれた看板があまりに錆びついているので、果たして本当に車が現われてくれるだろうかと不安になったが、十分ほど待っただけで個人タクシーがロータリーに入ってきた。運転手は白髪頭の、気の良さそうな顔をした男だった。

「『一原亭（いちはらてい）』にやってください」と私はいった。

「いちはら亭……ああ、わかりました」

　運転手は料金メーターを作動させてから、首を少しこちらに捻（ね）じった。「あの旅館、今は営業してないはずですよ。御存じなんですか」

「ええ、知ってますよ。事故があったんでしょう」

「火事ですよ。もう半年になるかなあ。詳しいことは知らないけど、あれはまあ旅館にとっては不運としかいいようのない事件だったそうで……」

　口の軽い男らしく、そこまで淀みなくしゃべったが、ルームミラーを通して私を見ると、

「お客さん、あの旅館の人じゃないんですか」と様子を窺うように訊（き）いてきた。

「経営者が知っている人なんです」と私はいった。

「なんだ、それなら説明するまでもなかったな」

「でも一原亭に行くのは初めてでしてね」

「そうでしょうねえ。常連客なら、一原亭とは呼ばずに回廊（かいろう）亭といいますからね」

「回廊亭？」

「いくつかの棟に分かれていて、渡り廊下で繋がれているからそういう呼び名がついたそうです」

「へえ、そうなんですか」

「有名な宿ですよ。あまり大勢の客を泊めたりはできないそうだけど、偉い作家の先生なんかが長期滞在したりしてね。我々も一度はあんなところに泊まってみたいと思っていたけれど、まあ縁のない話ですな」

　そういうと運転手は陽気そうに笑った。

「火事のことは、このあたりでも話題になったのですか」

「そりゃあね、ちょっと変わった事件だったから」

　そこまで話したところで彼はがらりと口調を変えた。「いや、本当に詳しいことは全然知らないんです。今はもうちゃんと修繕して、元通りになったっていうことですから、何も心配する必要はないんじゃないですか」

　あわてたようにいったのは、うっかりおかしな噂を口にして、後で回廊亭から睨まれたらたまらないと思ったからに相違なかった。

　やがて車は山道に入った。舗装されていない道が続く。民家が少なくなり、それに反比例するように木々の密度が濃くなった。

さらに行くと細い脇道が何本か現われた。それぞれの道の入り口に、旅館の看板が上がっている。それらをどんどん通り越していくと、殆ど一番奥といえるところで、「回廊亭」と書いた新しい看板が現われた。看板の端に小さく「一原亭」とも記されている。

旅館の前で車から降りたが、誰も出てくる気配がなかった。純和風の玄関に足を踏み入れると、二度ばかり声をかけてみた。しばらくして足音が聞こえ、右手奥から女将が現われた。

私は思わず自分の身体が硬くなるのを感じた。まず第一の関門だった。これを突破できなければ、何も始まらないのだ。

女将は両手を丁寧に揃えてつくと、「本間様でしょうか」と尋ねてきた。年齢は五十近いはずだが、厚化粧も手伝って、その女っぽさは三十代でも通用する。私は軽い嫉妬を覚えた。

「はい、本間菊代です」

毅然とした姿勢を保ちつつ、年相応の枯れた雰囲気を滲み出さなくてはならない。この瞬間のために何度鏡の前で練習したことだろう。とうとう最後まで満点を出すことはできなかったが。

一瞬空白の時間があり、その後で女将は相好を崩した。

「お待ちしておりました。どうも遠いところを、お疲れさまでございました」

その顔を見て、私は勝ったと思った。女将は何も疑っていない。

履き物を脱いで上がると、女将は愛想の良い顔を保ったまま立ち上がった。

「今すぐお部屋の方に案内させていただきます。本間様には、格別良いお部屋を御用意するようにと承っております」

「それはどうもおそれいります」

そういって頭を下げると、微笑みながら続けた。「でもお部屋に関しては、少々我が儘を申し上げたいと思っていたのですが」

「はっ？」

女将は、やや不意をつかれた顔をした。「何かご希望でも」

「それがつまらないことなのですけどね」

私は笑みを浮かべたままうつむき、少しもったいをつけてから顔を上げた。「じつは以前うちの人から、こちらに泊めていただいた時のことを聞いたことがあるのです。その時に泊まった部屋から見る景色が素晴らしかったとかで、今回はわたくし、ぜひその部屋にしていただきたいと願っていた次第なのです」

「ああ、そういうことでございますか。それならば何とか御希望に副いたいと存じますが、あの、どちらの部屋で？」

女将は目元にかすかな不安の色を見せながら訊いた。

「『いの壱』の間、と主人より伺っております」

私が答えると、彼女は明らかに狼狽した。

『いの壱』でございますか。それはまあ御希望とあれば、当方としては一向に構わないのですが……」

おそらく女将の頭の中では、様々なことが渦巻いているに違いなかった。黙ってこの客の希望をきいておくか、それとも後で面倒なことにならないためにも、今のうちに事情を説明しておくべきか、というようなことだ。『いの壱』というのは、それだけ頭の痛い存在なのだ。

彼女の悩みを和らげてやることにした。

「女将さんは、先の事故のことを気になさっているようですね。でも大丈夫。そういうことも承知した上で、『いの壱』にしてくださいとお願いしているんです。それにタクシーの運転手さんから聞いたところでは、今ではちゃんと修繕されているというじゃありませんか」

この助け船は効いたようだ。女将は安堵の息を小さくついた。

「そうですか、御存じでしたか。でも本当によろしいんでしょうか。修復以来、まだどなたもお泊まりになっていないのですが」

「そんなことを気にしてちゃ、この歳まで生きてこられませんよ。どうぞ案内してくださいな」

ここでようやく女将は頷いた。

「わかりました。ではそのようにさせていただきます。もちろん『いの壱』も、いつでもお客様に利用していただけるよう準備は整っております」

「無理をいってすみませんね」

私は小さく頭を下げた。

女将に案内されて、私は部屋に向かった。だが案内などされなくても、充分よく知っている建物だった。敷地中央が庭になっており、それを中心に三日月型に四つの別棟と本館が建てられている。別棟には本館から遠い順に、『い』、『ろ』、『は』、『に』という名前がついており、その中の部屋にはさらに、『ろの弐』だとか『はの参』だとかの呼び名があった。したがって私が希望した『いの壱』というのは、一番端の棟にある部屋ということになる。

本館から別棟へは、一本の長い廊下を通って行く。この回廊の側面にはいくつも窓がついていて、周囲の景色を一望することができるのだ。だから本館から一番端の『いの壱』に行くには、庭を左手に見ながら回廊を反時計回りに延々と歩くことになる。庭には大きな池があるが、回廊の一部はこの池を越える橋の役目も果たしていた。

いくつかの棟を通りすぎ、一番端にある『い』の棟まで私たちは歩いた。ここには二つの部屋がある。庭に面した方が『いの壱』だ。女将に導かれて中に足を踏み入れた。途端に新しい畳の匂いが鼻を刺激した。

「少し空気を入れ替えましょうか」

自分も匂いが気になったとみえて女将がいったが、私は断わった。三月の空気はまだ冷たい。それに何より、私は一刻も早く、「密閉された部屋」で一人になりたかったのだ。

女将は部屋の備品や電話の使い方、風呂にはいつでも入れることなどを一通り説明すると、どうぞごゆっくりといって退出しようとした。私は一旦頷いてから、彼女を呼び止めた。

「一ケ原家の皆様は、まだどなたもお着きではございませんか?」

「はい、まだお見えになっておられません。でももうそろそろかと。御夕食は六時半ということになっておりますから」

時計を見ると、五時を少し回ったところだった。

「お食事の前に、温泉にお入りになられたらいかがでしょうか。今なら大浴場でも、お一人でゆっくりと入っていただけますが」

「そうですね。ええ、そういう気になったらそうさせていただきます」

答えたが、残念ながら今回は大浴場に入るわけにはいかなかった。

女将は再びごゆっくりといって立ち去った。彼女の足音が完全に聞こえなくなるのを確かめると、出入口に鍵をかけた。

障子を開けて縁側に出ると、ガラス戸越しに周囲の景色を眺めた。木々の色どりが秋から春に変わったことを除けば、あの日とほぼ同じ景色だった。あの幸福の絶頂にいた日と同じ。ところが私の今の気分はどうだろう。まるでどす黒い雑巾のようで、絞れば生臭い汁がしたたり落ちそうだ。

私は部屋に戻ると障子をきっちりと閉めた。これでどこからも私の姿を見ることはできない。

そう思った途端に全身の力が抜け、へたへたとその場にしゃがみこんだ。とにかくここまでこぎつけた。これからのことを思うと、この程度でくたびれていてはいけないのだが、一分の隙もなく演じ続けるのは精神的にこたえる。

バッグを引き寄せ、中から手鏡を取り出した。おそるおそる覗きこむと、丸い鏡面に白髪の老女の顔が映った。頬はたるみ、目尻には無数の皺が刻みこまれている。どう見ても六十歳より下には見えないだろう。その客観的事実は私を改めて勇気づけたが、幾分寂しい気持ちにさせたことも否定できなかった。

六時半から食事だと女将はいっていた。その時に、一ヶ原家の連中と顔を合わせることになる。高顕氏の葬儀の時にこの姿で会っているが、あの時は何かとごたごたしていて連中の注意も散漫だった。今日はそうはいかない。

食事の前にもう一度顔を作り直した方がいいだろう。それに風呂にも入っておいた方がいいかもしれない。誰かに浴場に誘われたりしても、断わる口実になる。

浴室に入って浴槽に湯を入れると、洗面所で化粧を落とした。老婆の顔がみるみる剝がれ落ちていき、その下から若い肌が現われた。三十二歳の肌だ。

だが化粧をすべて落とすと、私はまた別の憂鬱を感じるはめになった。これはもう自分の顔ではない。健康な肌はごく一部で、あとは醜い手術の痕で埋めつくされている。整形外科の進歩はめざましいとテレビでいっていたのは、どこの大学の先生だったか。仮に変装などしなくても、私だと気づく者は少ないかもしれない。

次に慎重に鬘（かつら）を外す。乳白色といえるほどの、見事な白髪の鬘だ。今は女性用鬘を作っている会社が増えたし、金さえ出せばどんな要望にでも応えてくれる。私は本間菊代夫人の写真を持っていき、この人のような髪がほしいのだと打ち明けた。担当者は不審がりながらも引き受けてくれた。映画の撮影か何かに使うと、勝手に解釈したらしい。

本当は自分の髪を何とか染めたかった。鬘だと、どういう拍子でボロが出るかわからないからだ。美容師にそれとなく尋ねると、全く不可能というわけではないらしい。ブリーチをたっぷり二度かけると、薄い金髪のような感じになる。その上で淡いブルーに染めると、真っ白は無理としても銀髪には見えるというのだ。私は一大決心をし、美容師のいった通りに実行した。だが結果は悲惨なものだった。たしかに色は抜けたが髪はボロボロになり、頭皮は赤くただれた。ブルーに染めても、自然な白髪にはほど遠かった。私は全部切り落とした。

それで結局鬘に落ち着いたわけだが、出来栄（ば）えは想像以上で、知らなければ見抜けないだろうと思えた。最初からこうすればよかったのだ。

浴槽に湯が満たされたので、着物を脱いだ。全裸になって鏡の前に立ち、痩せた三十二歳の女の身体を眺めたのち、身体を少し捻（ひね）って背中を写した。ここにも醜い火傷（やけど）の痕が、地図に描かれた島のように張り付いている。この存在を忘れてはならない。憎しみを薄らげてはならない。

浴槽に身を沈め、手足を思いきり伸ばした。今のうちにリラックスしておくことだ。今度はいつこういう気分になれるかわからないのだから。

両手で身体のすみずみを、丹念に撫でていく。その指が貧弱な胸に触れた時、胸の中に何か重たいものが広がった。この乳首を優しく噛んだ男性が、たった一人だけいるのだった。

ジロー、私のジロー。

彼との日々を、私は永久に忘れることはない。人生で最良の時間だったから。

だが私は首を振った。その素晴らしい思い出は、同時に最悪の記憶に繋がる。

あの地獄の日の記憶だ。

二

　悪夢を見ていた。その内容がどういうものかは覚えていないが、悪夢であったことだけは断言できる。私はひどくうなされていた。

　目を覚ましたのは、呼びかけられたからだろうか。瞼を開くと、すぐ前に看護婦の顔があった。

「桐生さん、桐生さん」

　看護婦はゆっくりと私の名字を呼んでいた。私はまだぼんやりとした頭で、どうやら病院にいるらしいということを悟った。

「ここは……どこ？　いったい何があったの」

　辛うじて出た声は、到底自分のものと思えぬほどかすれていた。

　看護婦は哀れみいっぱいの顔を、小さく横に振った。

「覚えておられないのですか。お気の毒なことでしたねえ。でももう大丈夫、先生がきちんと手術してくださいましたからね。じきによくなりますよ」

気の毒？　手術？　看護婦の言葉の意味がわからなかった。

私は起き上がろうとした。だが全身に激痛が走り、それは果たせなかった。看護婦はあわてたようすで毛布を直した。

「無理しちゃだめです。今すぐ先生がお見えになりますからね」

「なぜ……」

そう訊きかけた時、初めて自分の顔が包帯で覆われていることに気づいた。そしてその包帯の下には、重く鈍い痛みがあった。

「ああ、あたしの顔……どうなったの？」

「何でもありません、心配しないで。さあ、気を鎮めてください」

「見せてちょうだい、あたしの顔、いったいどうなっちゃったのぉ」

私が再び暴れ始めたので、看護婦は懸命になだめようとした。

「大丈夫、だいじょうぶですよ。きちんとしてありますからね、何も心配することはないんですよ」

そのうちに担当医師もやってきて、看護婦と二人で私を落ち着かせようとした。だが男性の顔を見た瞬間、私はもう一つ別のことを思い出した。

「ああ、そうだ、二郎はどこ？　ジローはどこにいるんですか。あたしと一緒のはずなのに。ジロー……ジローに会わせてください」

「落ち着いて。興奮しちゃいけない」

眼鏡をかけた医師が鋭くいった。私は少し自分を取り戻し、身体の力を抜いた。

「一体、何があったんです……」

「全く覚えていないのですか」

医師は気まずそうにした。事情を私自身が思い出すことを願っているのだ。

私は自分の記憶を探った。ぼんやりとした闇の中に、赤い点が浮かびあがる。やがてそれは大きくなり、燃えさかる炎に変わった。ジロー、私は叫び、彼を抱きかかえていた。たとえこの身が焼け焦げても、この人だけは守らなければならないと思った。

記憶が徐々に蘇（よみがえ）った。自分の身に何が起きたのかを、明確に思い出した。

「彼は……あたしと一緒にいた男性はどうなりました？」

私は医師の顔を見た。すると眼鏡の奥の彼の目が揺れ、次には顔をそらせていた。私は事態を理解した。

「そうですか……」

私は枕に顔をうずめた。惨めな姿をさらしたくはなかったが、嗚咽（おえつ）が漏れるのはどうしようもなかった。医師や看護婦が無意味な慰めの言葉をかけてこないのが、唯一の救いだった。

里中二郎（さとなかじろう）の死体に対面したのは、それから二日後のことだった。その対面の仲介をしたのは、病院側ではなく警察の人間だった。その頃には私はかなり冷静さを取り戻しており、あの夜の出来事を客観的に分析し終えていた。だから刑事が会いに来た時も、さほど意外な感じはしなかった。

「里中二郎を御存じですね」

いかつい顔つきの中年刑事は、ベッドの横に座り、事務的な口調で尋ねた。二郎の名前を呼び捨てにしたのが、私の気に触った。

「知っています」

「あなたとはどういう関係でしたか」

「恋人でした」

さらに、「大切な人でした」と続けた。刑事は小さく頷いただけだった。

「あの夜、里中二郎があなたの部屋を訪れたのは何時頃ですか」

「わかりません。たぶん夜中だろうと思います」

「なぜわからないのですか」

「眠っていたからです」

「ということは、里中が来るということは知らなかったのですね」

「はい。知りませんでした」

私はきっぱりと答えた。この点についてどう答えるべきか、私は刑事と会う前にかなり悩んだ。そしてこのように答えるのが最良と判断したのだった。

「しかしあなたが回廊亭に泊まることは、話してあったのですね」

「はい、話しました」

「里中が来て、あなたは彼と何か話をしましたか」

「いいえ」

「では彼はあなたに会ってから何をしました？」

私は口ごもった。心理的効果を狙った芝居だったが、刑事はうまく騙されてくれた。彼は私が迷っていると判断したらしい。

「この点は後回しにしましょう。ところで火事のことを覚えておられますか」

「断片的に、ですけど」

「では覚えていることを話してください」

刑事は足を組みかえると、手招きするようなしぐさをした。

「眠っていて、何となくひどく暑くなって目を覚ますと、周りが火に包まれていました。何が起こったのか、さっぱりわかりませんでした。とにかく逃げ出さなくてはと、夢中で起き上がりました。ただ一体どうやって脱出したのかは、自分でもよく覚えていないんです」

このあたりは、ほぼ事実だ。

「その時、里中二郎はそばにいましたか」

「いました。あたしの横で寝ていました。なぜ彼がここにいるのだろうと疑問に感じましたが、とにかく深く物事を考えている余裕はなかったのです」

「なるほど、それで――」

刑事は改めて私の顔を見た。「今はどうですか。なぜ里中があなたの横で寝ていたか、察しがついておられますか」

私は目を伏せて少し間を置いてから刑事の目を見返した。

「ええ、おおよそは……たぶんあの火事と関係があるんでしょうね」

「そのようです」

刑事は首肯（しゅこう）した。「里中はあなたがお泊まりになっていた部屋に火をつけ、自らも薬を飲んで自殺した、と我々は見ています」

思ったとおりだ、と私は合点した。やはり警察は、すべて里中二郎が自分の意思でやったことだと解釈している。

「彼はなぜ……なぜ自殺しなければならなかったのですか」

私が訊くと刑事は続けざまに瞬（まばた）きし、頭の後ろをぽりぽりと掻いた。

「じつは里中は、前日に交通事故を起こしているのです」

「事故を？」

「轢（ひ）き逃げです。奴のアパートから数キロ離れた国道で、老人を轢いています。老人は頭を強く打って、間もなく死亡しました」

私は沈黙した。

「事故現場に車の塗膜片が落ちていましてね、すぐに車種が割りだされたのですが、それが回廊亭のそばに乗り捨ててあった里中の車と一致しました。早速詳しい調査をしたところ、同一車とみて、ほぼ間違いなさそうです」

「要するに、彼は轢き逃げをして、その罪の意識から自殺したと……」

「というより、いずれ捕まってしまうという恐怖が強かったと睨んでいます。そこで先程の質問に戻ります」

今度はきちんと答えてくれとばかりに、刑事は一際声を大きくした。「里中二郎は夜中にあなたの部屋に忍びこみ、あなたに何をしたのですか。正直に答えてください」

私は唇を舐めた。警察側の手の内を知りたかった。迂闊に答えて、つけこまれたりしたら、計画が台無しになる。

すると刑事がいった。

「あなたを診察した先生から聞いたことですが、この病院に担ぎこまれた時、あなたの首筋には内出血が見られたということでした。これについても、合わせて説明していただけますか」

私は軽く瞼を閉じた。なるほどそこまで知っているわけか。となると、妙な小細工をする必要もないだろう。

「よく、わからないんです」

私はゆっくりと首を振り、まだ包帯が巻かれたままの顔を両手で覆った。苦悩する女を演じたつもりだった。

「突然……寝ていたら突然苦しくなって、気がついたら首を締められていたんです」

「相手の顔を見ましたか？」

「いいえ。暗かったですし、目を開けた時には意識がぼんやりしていました」

「そうですか」

刑事は明らかに失望したようすだった。もし私がここで、相手は里中二郎だったといえば、彼の仕事は九分九厘終わるはずだからだ。しかし私が相手の顔を見ていないからといって、方針が変わるわけではなかった。

やがて刑事は気をとり直すようにいった。

「まことにお気の毒ですが、里中二郎はあなたを道連れに無理心中しようとした――そう結論づけてよさそうですな」

私は黙っていた。予想通りの答えだったからだ。だがここで平然としているのは不自然だと気づき、大あわてで派手な泣き真似をしてみせた。「お気の毒です」刑事はもう一度いった。

その必要はないと刑事はいったが、私は里中二郎の遺体を確認したいと主張して譲らなかった。この目で見ておかないと、本当の決断がつかないのだ。

二郎の遺体は警察の死体安置室にあるということだった。司法解剖がなされたらしいのだ。私は相変わらず顔に包帯を巻いたままだったが、ベッドから起き上がることは大して困難ではなかった。それでも心配だからと、担当の看護婦が付き添ってくれた。

「里中が事故を起こしたのは、前日の八時頃だと思われます」

車の中で刑事が説明した。「その後奴がどういう行動をとったのかは不明です。しかし勤めている自動車修理工場に寄っているのは確かです。その形跡がありましたから。で、その後はあなたの泊まっておられる宿に向かった。奴があなたの部屋に忍びこんだのは、たぶん二時頃でしょう」

「あの夜わたしは十一時頃に布団に入りました」

私の言葉に刑事は頷いた。

「奴が来た時には眠っていたとおっしゃいましたな。奴はあなたの首を締め、動かなくなるのを確認すると、部屋に火をつけ、薬を飲んで死んだというわけです。事故を起こし、将来に絶望して自殺するというのは、それほど珍しいことではありません。家族や恋人を道連れに無理心中するというのもね」

「彼が飲んだ薬というのは何ですか」

「青酸化合物です。奴が工場に寄ったのも、その薬を盗み出すためだったと見ています。修理工場には、青酸カリなどが常備してありますからね」

「なぜ私にもそれを飲ませて殺そうとしなかったのでしょうか」

「おそらくあなたが眠っていたからでしょう。わざわざ起こして飲ませるという手順を踏むより、手っとり早いと思ったのじゃないですか」

手っとり早い、か。

だがその選択は間違っていた。首を締めるというやり方は不確かだったのだ。その証拠に私は死んではいなかった。一時的に気を失っていただけなのだ。そして炎に包まれながらも、生き続けている。

「早く忘れた方がいいですよ」

締めくくるように刑事はいった。私に同情してくれたのだろうか。

死体安置室は警察署の地下にあった。暗く、埃っぽい部屋だった。二人の係官が、小さく粗末な棺に入った里中二郎の遺体を運んできた。

「消火作業が早かったこともあり、火による損傷は少ないのです。顔なども殆ど焼けていません。そうでなければ、お見せしないところなのですが」

刑事の説明をぼんやりと聞きながら、私は中を覗きこんだ。

里中二郎の死体が、そこにあった。

私の中で辛うじて繋がっていた何かの糸が、ぷつんと絶望的な音を発して切れた。私はゆっくりと床に崩れた。刑事たちが何かいったようだが、私の耳には届かなかった。

泣くまいと思っていたが、涙があふれるのを止めることはできなかった。私はわあわあと少女のように泣いた。だが泣きながら、私は決して人には聞かせることのできない叫びを心の中で発していた。

里中二郎は殺されたのだ。

私のジローはもういない。

三

風呂から上がって着物を身につけると、念入りに化粧を始めた。変装といった方がいいかもしれない。数えきれないほど練習を繰り返してきた。細かい染みの位置や形まで、正確に再現することができる。

今後は完全に化粧を落とすことはやめた方がいいかもしれない。慣れたとはいえ、この変装を一からやり直すには、小一時間を要するのだ。突然誰かが部屋に訪ねてきたりしないとも限らない。

老婆に化け終えると、障子を開けて外の景色を眺めた。半年前に訪れた時にも、こうして眺めた覚えがある。もちろんあの日は本当の姿、桐生枝梨子（えりこ）としてこの宿に泊まったのだ。

そして隣りには一ヶ原高顕氏がいた。高顕氏はすっかり細くなった手を私の肩に載せ、「この景色を見るのもこれが最後かもしれないな」と呟（つぶや）いたのだった。

「会長、そんなに気弱なことでは困りますわ。もっとお歳の方が、現役でばりばり働いておられるのに」

私が叱ると、「そうだな、もうひと踏んばりしなければな」といって高顕氏は寂しそうな笑顔を見せた。何もかも悟りきったような顔だった。当然自分の死期も、わかっていたのだろう。そんなことを考えていると、入口の戸をノックする音がした。ドアを開けると、外に一ヶ原蒼介（そうすけ）が立っていた。

「やあ、どうも遅れて申し訳ありません。道が少々混んでいたものですから」

神経質そうな顔に固い笑みを浮かべて、細身の男は腰を折った。中老と呼んで差し支えない年齢のはずだが、オールバックにした髪が黒々としているせいか、まだ四十代に見えぬこともない。

私も作り笑いをして頭を下げた。

「これは一ヶ原さん、このたびはこんな立派なところにお招きいただき、本当にありがとうございます」

「いえ、どうぞ気楽に温泉気分を味わってください」

「皆さん、お着きですか」

「はい、家族たちも一緒に到着しました。どうです、ロビーにいらっしゃいませんか。そろそろ食事の時刻でもありますし」

「そうですねえ……では御挨拶させていただきましょうか」

バッグを手にすると、私は蒼介とロビーに向かった。回廊を歩きながら、彼は本間重太郎（しげたろう）氏に関する話を始めた。その人物は彼の亡兄一ヶ原高顕氏の親友であり、私が化けている本間菊代の夫でもあった。

「本間さんが亡くなられた時には、兄は本当に悲しんでいました。まだ教わりたいことが数多くあったのに、といってね。私も本間さんのことはいつも兄から聞き、尊敬しておりましたから、非常に残念に思ったものです」

何が尊敬だ、と片腹痛かった。実業家の兄の援助のおかげで大学教授に納まったはいいが、結局何ひとつ還元できないままの蒼介に、高顕氏にとって本間氏がどれほど大切な存在であったかを理解できるわけがない。もし理解しているなら、本間氏の葬儀ぐらいは出席していたはずだ。

しかしそんな胸中はおくびにも出さず、私は恐縮したふりをした。

「そういっていただけると、あの人も喜ぶでしょう」

「いや全く本間さんの死は兄にとってショックだったようです。御存じのように、本間さんが亡くなられてから一年もしないうちに、今度は兄が倒れてしまいましたからねえ」

「そうでしたね。ええと、入院しておられた期間は結局……」

「一年と二か月です。よく持った方だと、後で医者から聞かされました。その間にはいろいろなことがあって、公私共に疲れていたはずでしたが」

「そういえば例の火事事件の時、高顕さんもこの宿におられたそうですね。あの事件もショックだったのでしょうね」

「そのとおりです。本当にあの事件には参りました。火が出たのは、たしか『いの壱』でしたが……」

いってから蒼介はそれが私の部屋だと思い出したらしい。あわてたようすで、「いや、もちろんきちんと御祓いは済ませてありますから御安心を」と付け足した。

「私はちっとも気にしておりませんよ。いい部屋で喜んでいます」

「おそれいります」

ロビーに行くと、一ヶ原一族の面々が、まるで自宅の居間にいるような調子でくつろいでいた。

彼らは二つのテーブルを占領していた。そのうちの一つに蒼介は近づいた。そこには二人の男女が座っていた。両方とも一度は見たことのある顔だが、彼らは本間菊代という女性には会ったことがないはずだった。

蒼介が私のことを紹介すると、手前に座っていた男が立ち上がった。

「お噂は兄より伺っております。遠いところを御苦労様でした」

「弟の直之です」

蒼介が横からいい添えた。「現在は兄の会社で働いております」

「存じております。お兄様が亡くなられて、大変でございましょう?」

「そのとおりです。が、まあ何とかやっています」

実質上は、この男が高顕氏の事業を継ぐことになっている。最近まで米国支社にいた関係で、私も二、三回会っただけだ。それもかなり前になるから、私の素顔を覚えている可能性は低いと踏んでいた。もっとも覚えていたとしても、整形手術を受けた上に、老婆に変装した私に気づくとは思えなかった。とはいえ、この男には注意する必要がある。高顕氏とは異母兄弟で年齢も二十歳以上離れているが、慧眼ぶりは兄譲りと、私が会社にいた頃よく耳にしたものだ。

「じつは以前奥様にお会いしたことがあるんですよ」

端整な顔に穏やかな笑みを作って直之はいった。私はどきりとした。

「あら……そうでしたか」

「本間さんの通夜の時です。アメリカに帰る予定を一日ずらして、平服で駆けつけさせていただきました。もちろん、奥様にお声をおかけするわけにはいきませんでしたが」

「ああ、さようでございましたね。あの時はわざわざ申し訳ございませんでした」

直之が本間氏の通夜に出ていたとは計算外だった。腋の下に汗が流れた。

「いえ、それよりアメリカまでお返しを送っていただきまして、ありがとうございました。あれは今も重宝して使わせていただいております」

「いえいえつまらないもので……」

香典返しのことらしいが、菊代夫人が直之に何を送ったのか、私には見当もつかなかった。

早く話題を変えた方がいいだろう。いざとなれば年寄りであることを利用して、ど忘れを装うという手もあるが。

そんなふうに考えていると、直之の方が話を変えた。

「ところで奥様、以前お見かけした時よりも、少しばかりお変わりになったのではありませんか。健康的になられたというか、そう、若々しく感じます」

「えっ……いえいえ、そんなことはございません。もうこの頃は鏡を見るたびにげんなりいたします」

老女の照れ笑いを演じたが、うまくいっただろうか。声が不自然になったのが自分でもわかる。やはりこの男には用心しなければならない。

「本間さん。で、こちらが紀代美さんです。高顕の下にもう一人兄がいたのですが、その妻だった人です」

タイミングよく、蒼介が口を挟んでくれた。私が挨拶すると、紀代美は座ったままで小さく会釈した。彼女の夫は高顕氏よりも三年早くこの世を去っている。したがって一ヶ原家との直接の繋がりは消えているのだが、亭主が健在だった頃と尊大さは変わっていない。今も私と直之との話が長くなって何となく無視された形になったからか、ひどく不機嫌そうだった。

蒼介は私を隣りのテーブルに連れていった。女性が三人に若い男が一人だ。

「妹の曜子です。旦那は仕事の関係でどうしても来られなかったそうです」

一番年嵩の女性を蒼介は紹介した。年齢は四十過ぎというところか。やや異国風の顔つきなので、栗色に染めた長い髪がさほど不似合いでもなかった。曜子は立ち上がり、丁寧に頭を下げた。

「どうぞよろしくお願いいたします」

「いえいえ、こちらこそ」

この曜子と直之だけが、高顕氏や蒼介と母親を異にしていた。それで兄弟とはいっても、少し年齢差があるのだ。

続いて蒼介は、二人の娘を掌で示した。

「それから曜子の娘の加奈江さんと、紀代美さんの娘の由香さんです」

こんにちはと由香が微笑み、よろしくと加奈江が小さく頷いた。由香は全体に丸みを感じさせる、いかにも豊かな環境で育ったお嬢さんという雰囲気を持っている。それに対して加奈江は、どことなく野生的な魅力を感じさせた。好対照というべきだろうが、二人に共通していえることは、間違いなく美人の部類に属するということだった。私は、もはやこのような娘に嫉妬するのは馬鹿馬鹿しいと自分自身にいい聞かせながら、気品のある老女になりきって挨拶した。

最後に残った若い男は、蒼介の紹介を待たずに立ち上がった。

「一ヶ原健彦です。現在は演劇関係の仕事をしています」

元気のいい声だ。いかにも好青年という感じだが、体格だけで、中身はあまりないというのが以前からの私の印象だった。演劇の仕事というと聞こえはいいが、遊び仲間とつるんで、くだらない芝居ごっこをしているだけだ。そんなことで食べていけるはずがなく、今も実質的には親のスネかじりである。

「私の息子です。二十七になるというのになかなか落ち着いてくれず、困っております」

蒼介が親馬鹿まるだしの顔でいう。自分自身が高顕氏に依存し続けてきただけに、息子が腑(ふ)抜(ぬ)けでも気にならないらしい。

曜子が椅子を勧めてくれたので、遠慮なく座ることにした。蒼介はとりあえず仕事を果たしたという顔で、自分たちのテーブルに戻っていった。

「せっかく御親戚がお揃いになったというのに、邪魔者が混じって申し訳ありませんね」

私がいうと、曜子は顔の前で手を振った。

「そんなことはありませんわ。私たちなんて、しょっちゅう顔を合わせているんです。たまには違ったお客様がおられた方が、気分が変わっていいですわ」

「さようでございますか」

「ええ、どうかお気になさらないで」

「あたしなんか、もしこれが単なる親戚旅行だったら、絶対に来なかったわ」

加奈江が、由香や健彦の方を見ながら悪戯(いたずら)っぽくいった。「もうこの宿だって飽きちゃったし、周りに遊びに行くところがないんですもの。でも今回はイベントがあるから、我慢して来たのよ」

「あたしはこの宿、好きよ。だから何度来てもいいけど」

由香が静かな口調でいった。

「僕も好きだな」と健彦。「これだけの旅館、最近じゃなかなかないよ」

「健彦さんは、由香さんのいるところなら、どこだっていいんじゃないの」

加奈江が横目で睨みながらいう。どうやら冷やかしの言葉らしいが、健彦本人はにやにやしている。由香は知らん顔だ。若い男女の事情を、私は察知した。

「とにかく」と加奈江は続けた。「イベントがなければ、あたしは来なかったわ。由香さんだって、本当はそっちの方が気になってるでしょ？」

「別に。気にしたって仕方のないことだもの」

由香は膝の上で開いた雑誌に、目を落としたまま答えた。

「そうかなあ。あたしは重大事件だと思うけどなあ。すごい遺産がどうなるか、いよいよ明日決まるんだもの。これからの将来に大きく関わってくる、人生最大のイベントよ。これに比べたら、結婚なんて全然比較にならないわ」

「加奈江、イベント、イベントっていうのはよしなさい。みっともないじゃないの」

曜子がたまりかねたように小声で注意した。だが不謹慎だからというのではなく、がつがつしているとは見られたくないというのが本音のようだ。加奈江は肩をすくめると舌をペロリと覗かせた。

四

高顕氏が初めて遺言書の話をした時のことを覚えている。あれは彼が入院して一か月ほどした時のことだ。病室で世間話でもするような調子で彼はいったのだ。そろそろ準備しておかなければならないな、と。

「気弱になられたのなら困りますね」

私は努めて明るくいった。「でも遺言書をお書きになることには賛成です。それを使用するのが何十年先になるかは見当もつきませんけれど」

励ましの意図を悟ったらしく、彼は微笑んだ。

「遺言書の内容は、大まかには決めてある。しかし、いくつか大きな問題が残っており、どんどん変わる可能性がある」

「当然ですわ」

「君にも面倒をかけることになるだろう。覚悟しておいてもらいたい」

「承知しました」

この「面倒」の意味は、この時はさほど深く考えていなかった。高顕氏にしても、具体的な意味で使ったのではないだろうと思いこんでいたのだ。だがそうではないことを、このさらに何週間後かに私は知ることになる。

「ところでまだ一行も書いていないのにこんなことをいうのはおかしいんだが、遺言書の公開には条件をつけねばならないな」

「何ですか」

「まず私の死後最低一か月間は公開しないこと。これは混乱を避けるためだ。それから公開は遺言書に関係する人間全員を集めた場で行なわれること。余計な人間が入っていてもいけないし、不足してもいけない。ただし代理人は認める」

「でも遺言書に誰が関係しているのかは、中を読まないとわかりませんわね」

「関係者の名前だけは、先に古木弁護士に教えておけばいいだろう。集まる場所としては回廊亭がいいな。あそこなら、いらぬ雑音が入ったりもせんだろう」

それから一ヶ原氏は少し寂しげに眉を下げた。

「私の墓は八沢温泉に据えてもらうつもりだ。知っているだろう、あの小さな寺を」

「存じています」

「あの寺なら回廊亭から目と鼻の先だ。遺言書を公開する前に、皆が線香の一本ぐらいはあげてくれるかもしれん」

遺言書の公開を回廊亭で行なう最大の目的はそこにあるのだろうと私は見抜いた。皆が遺言にばかり気をとられ、それを書いた本人のことを忘れはしないかと心配なのだ。高顕氏にそういう意外な弱さがあることも、私は長年の付き合いで知っていた。

「それにしても、肝心の遺言内容には頭が痛いな」

彼はベッドに横たわったまま頭を掻いた。「どちらを向いても、付き合いの薄い連中ばかりだ。どのように分配すればいいのか困ってしまう。こんな時、妻と呼べるものがいればいいのだが……。しかし今さら再婚するというのもな」

彼の迷いが手にとるようにわかった。私は何かいわねばと思ったが、何をいっても空々しく聞こえそうで黙っているしかなかった。彼もこの後は黙りこんでしまったのだった。

五

「お待たせいたしました。お食事の用意ができましたので、お部屋の方へどうぞ」

女将の声で、私は我に返った。と同時に、やれやれといった顔つきで蒼介たちが席を立ち始めた。

「さて、では私たちも参りましょうか」

曜子に促され、私もどっこいしょと声を出して腰を上げた。

食事のために用意された部屋は、親戚一同が食事をするにはちょうどいい広さの和室だった。ただし卓の下は畳が空いており、掘り炬燵（ごたつ）のように足を伸ばして座ることができる。一ヶ原高顕氏の提案で、外人客でも苦痛にならないよう配慮されたものだった。

当然のような顔で蒼介が上座に座ったほかは、各自適当に好きな場所に腰を落ち着けた。私は一番端に座ろうとしたが、直之がもっと中へどうぞというので一つだけ移動した。すると空いた席に彼が座った。この男と隣り同士にはなりたくなかったが、こうなってはどうしようもない。

特に大した前置きがあるわけでもなく、漫然と食事が始まった。洋風懐石とでも呼ぶべき献立で、純和風の料理も出れば、ちょっとした肉料理も運ばれるという具合だった。アルコールは最初ビールと地酒だけだったが、娘たちの要求にしたがって冷えた白ワインも出された。それで私もそれをいただくことにした。

タクシーの運転手がいっていたように、現在この回廊亭は休業の状態だった。火事に遭ったり、経営者の一ヶ原高顕氏が亡くなったりと、災難が続いたからだ。従業員も女将を除いては、少し離れたところにある系列のホテルに移っている。だから今回は一ヶ原家の親戚が集まるということで、そのホテルから料理人などを借りているということだった。したがって人手が足りず、新しい料理を運ぶのに、毎回女将が顔を出した。そのたびに直之が二、三言声をかける。女将も愛想よく受け答えしていた。

「あの人も内心は、ずいぶん気になっていることでしょうね。相続がどうなるか」

女将が姿を消した後、曜子がやや毒を含んだ物言いをした。

「そりゃあそうだろう。今度の雇い主が決まるわけだからな。場合によっては、馘首(くび)ってこともありうる」

蒼介が箸でつまんだものを口に運びながら答えた。

「でも真穂(まほ)さんは女将として優秀だよ。誰が経営するにしても、解雇する手はないと思うがね」

直之が弁護するようにいう。それで私は女将の名が真穂であったことを思い出した。名字は小林だ。

「つまり直之がこの回廊亭を貰うってことになれば、真穂さんは安泰ということだ」

蒼介がいったが、たぶんそうはならないだろうという響きがその口調にはあった。

「僕は旅館経営をする気はないさ」

直之は少し気を悪くしたようだ。ぐいと地酒を飲みほしたので、私が注いでやった。

「あの方はあれでしょう。元もとは、高顕兄さんのいい人だったんでしょう？」

曜子が声をひそめていった。

「あらあ、そうなの？」

こういう話題は見逃すまいと、加奈江が飛びついた。「あたし、全然知らなかったわ。いつ頃の話？」

「もうずいぶん前のことよ」

「特に女好きというわけでもなかったが、兄貴も人並みのことはしていたからな。なあ、直之」

「さあ、昔のことはよく知らないから」

蒼介に同意を求められたが、直之は素気なく答えた。「仮にそうだったとしても、彼女の女将としての手腕には無関係だよ」

「あたしもそう思いますわ」

突然紀代美がいった。「それにそういう俗っぽい話題は、今夜ぐらいは控えた方がいいんじゃないかしら」

さらに彼女はワインを一口含んで、「ああ、おいしい」とわざとらしく呟いた。強烈な嫌味に、曜子は不愉快さを露わにした。

「あたし、伯父様が再婚されるなら、相手はあの秘書の人だと思っていたわ」

私がどきりとするようなことを発言したのは、今まで黙っていた由香だった。他の者も少し驚いたようだ。

「由香」と、すかさず母親の紀代美がたしなめた。「そういう話はよしなさい」

「あら、いいじゃないですか。故人の思い出を語るのに、お上品な顔で堅苦しい話をするだけじゃつまらないわ」

早速曜子が、たった今皮肉られたお返しをした。「その話聞きたいわ。秘書というのは、桐生枝梨子さんのことかしら」

「ええ、そう」

「でも歳がずいぶん離れているじゃない。彼女はたしか、まだ三十過ぎだったはずよ」

曜子がいうと加奈江が目を輝かせて会話に加わった。

「ママ、古い。最近は玉の輿狙いで、お爺さんと結婚する女性も増えてるのよ」

「由香さん、何か根拠があるのかい？」

蒼介が訊くと、彼女は長い睫を伏せたまま口を開いた。

「あたし、伯父様から直接聞いたことがあるんです。彼女と会うのがもう十年早かったら、プロポーズしていたのにって。冗談みたいにおっしゃってたけど、あれは本気だったと思います」

この言葉は私の心を乱した。そして一同にも少なからずショックを与えたようで、口々に何かいい出した。

「兄貴がそんなことをいってたのか。それは気づかなかったなあ」

蒼介は大袈裟に腕組みをして唸った。

「そういわれてみると、心当たりがないこともないわね」

曜子は何かを思い出す顔で、何度も頷いた。「たしかにあの二人の様子を見ていると、社長と秘書という関係を越えていたように思えたわ。桐生さん、加奈江がいうように玉の輿を狙ってたのかもしれない。兄さんは兄さんで、若い女性といつも一緒で楽しかったようだし」

「でもどうかなあ。僕も何度か見たことがあるけれど、はっきりいって女性的魅力はゼロの人だったよね」

知性ゼロの健彦がほざいた。そのご自慢の高い鼻を、ハンマーか何かでへこましてやりたくなる。

そこへまた女将の小林真穂が入ってきて話が途切れた。このままこの話題から離れてくれればと思ったが、真穂が出ていくとまた蒼介がむし返した。

「直之、おまえは何か聞いてないのか。兄貴のことと、あの桐生とかいう秘書のこと」

兄に尋ねられて、直之は顔を上げた。

「それらしきことを仄(ほの)めかされたことはある」

彼は手にグラスを持ったまま言った。

「それらしきこと？」

「再婚のことさ」

「再婚？　いつ頃の話だ」

「一年ほど前かな」

「じゃあ兄貴が入院してからじゃないか。自分の命が助かるかどうかもわからないって時に、一体何を考えていたんだ」

「いや、むしろ自分に残された時間が少ないと悟ったからこそ、真剣に再婚を考えたんじゃないかな。あの気丈夫な兄貴も、さすがに気が弱くなっていたんだろう。枕元で見送ってくれる妻という者が欲しかったんだよ」

「偉大な伯父さんも、やっぱりただの男だったということか」

健彦がゆらゆらと頭を振った。何も知らないくせに、と私は罵倒(ばとう)した。彼の苦しみが、おまえのような骨無しにわかるはずがない。

「もし兄さんがその気になれば、相手には不自由しなかったかもしれないわね。だって形だけでも結婚すれば、その女の人には兄さんの遺産が入るんだもの」

曜子が納得した顔でいう。蒼介は、なるほどと呟いてから再び直之を見た。

「で、兄貴はおまえに何を相談したんだ?」

「だからそういう形の再婚をどう思うかと訊かれたんだ。それでどうやら具体的な相手がいるらしいなと感付いたわけだが、いろいろと問い詰めてみると、兄貴は明らかに桐生君のことを考えているようすだった」

「やっぱりそうか。それでおまえは何と答えたんだ」

「好きにすればいいと答えたさ。それ以外に返答のしようがあるかい?」

直之がいうと、蒼介はじつに嫌な顔をして黙りこんだ。もし相談を受けたのが蒼介であるなら、全く違う答え方をしたに違いなかった。

「もしそれが本当だとすると、もうちょっとで大変なことになっていたわけね」

加奈江が場違いなほど明るい声を出した。「だってそうじゃない。もし伯父様が桐生さんを入籍させてたりしたら、遺産の大部分があの人に行ってたわけでしょう。そうすると今日こんなふうに集まることもなかったかもしれないんだわ。そういう意味では、あの心中事件に感謝しなきゃね」

この台詞（せりふ）はあまりにも的を射すぎていた。何人かがはっと息を飲み、次の瞬間には重苦しい沈黙が襲った。

六

一ヶ原高顕氏の気持ちに気づかなかったわけではない。しかし私は気づかないふりをしていた。プロポーズされても、おそらく断わっていただろう。玉の輿などというありふれた言葉が不似合いなほどの、莫大な財産が入ってくるとしてでもだ。

私は高顕氏を尊敬していた。実業家としての彼は、正確で冷静な頭脳をフル回転させ、迅速に行動するまさに人間コンピュータだった。時には冷酷とさえ思うことがあったほどだ。だがそんな彼も、相手が数字ではなく人間の場合は豹変（ひょうへん）した。作りものでない大らかさと、全てのものを取りこんでしまう豊かな包容力を持っていた。秘書として私が仕えたのは六年間だが、彼のそばにいるだけで、人間に関する様々なことを学びとれた。

しかし私は彼を夫として見ることはできなかった。ボスとして、いつまでも尊敬し続けたかったのだ。そしてもっと正直に告白するなら、私は私の女性的魅力を評価してくれる男性を探していた。計算ではなく、情熱で私を求めてくれる男性だ。すでに不能者であった——本人がそういったのだ——高顕氏は、彼らしい冷静な判断の結果、若さと美貌を備えた女よりも、彼の指示を正確に遂行できる人物に妻の名を与えようとしたにすぎない。彼は私に女性を求めてはいなかった。

私がこうしたことに拘るのは、私自身の恋愛経験の乏しさに関係があるだろう。いや乏しいなどというのも気がひける。殆ど皆無というべきだ。無論こちらから一方的に熱い想いを抱いたことはあるが、それらの恋心は常に線香花火のように元気なく消えていく運命にあった。気持ちを打ち明けることもないので、失恋という形にさえならない。こっちが勝手に心ときめかせ、やがて勝手に傷つくだけだ。

ただ入社して一年ほどした頃、本気で恋心を打ち明けようと思ったことがある。陳腐だが、バレンタインデーを利用しようとした。相手は同じ職場の先輩だった。親切に仕事を教えてくれる人で、私はすっかり夢中になっていた。その日私は手作りのチョコレートを机の引き出しに忍ばせて、彼に渡すチャンスを窺っていた。

ところが結局、告白はできなかった。その前に思いもよらない邪魔が入ったからだ。いや、邪魔というのは適切ではないかもしれない。

のぼせている私に冷水を浴びせたのは、隣りの職場の女子社員だった。この日の昼休みに彼女は、面白いものを手に入れたといって一枚の紙を出した。それは女子社員の評価表だった。といっても仕事の評価ではなく、項目は「容姿」と「性格」の二つだ。評価しているのは数人の男子社員で、その中には私が憧れている人の名前もあった。

「男の人たちって、嫌なことするでしょ」と、その女子社員はいった。表を見ると、彼女はかなり上位にランクされていた。特に容姿のポイントが高いのだ。だからこそ、こうして見せびらかしているのだろう。私は期待と恐れを抱いて自分の得点を見た。案の定それは惨めなものだったが、何よりも私を絶望させたのは、「あの人」のつけた点数だった。性格は五段階の三、容姿は一になっていた。

桐生枝梨子、容姿一点。

この日の帰り、私はチョコレートを駅の屑籠に捨てた。涙が出そうになるのを必死でこらえていた。その代わり部屋で一人になると、わあわあと声を出して泣いた。

私の母親は豊かな胸と、きめの細かい肌を持っていた。だが私はそれらの女性的魅力を何ひとつ受け継がなかった。胸は洗濯板のように薄く、肌は荒いのだ。そして皮肉なことに、父の顔の醜さは完全に遺伝していた。子供の頃からよく男の子に間違われたが、大人になってからも状況に大した変化はなかった。しかも私の顔は、仮に男だったとしても女性からは好まれないだろう。

一晩中泣き、私は決意した。もう恋愛を夢見てはいけない。自分には縁のないものだと諦めるのだ。天は私に美を与えなかったが、それに代わる知性を授けてくれた。これからは、その知性を磨くことに精進しよう。そして恋愛に憧れる気持ちは、心の奥底にしまって、決して人に気づかれてはならない。

翌日から私は変身した。そのまず第一歩は、痛いのを我慢してはめていたコンタクトレンズを外し、色気を少しも感じさせないメタルフレームの眼鏡をかけることだった。服装も変えた。少しも似合っていなかった流行の女性らしい服はタンスにしまいこみ、入社試験を受ける時ぐらいしか着る機会のないような固い衣装に身を包んだ。

そして努力した。会社の仕事が終わった後も、外国語を習い、様々な講習に出かけ、いくつかの資格を取得した。やがて私は同僚たちから孤立するようになったが、無能者が妬(ねた)んでいるだけだと無視することにした。

幸運だったのは、上司が馬鹿ではなかったことだ。彼らは私の能力を正当に評価してくれた。その結果私は異例ともいえる人事異動を経験した。何人かの役員の下で働いた後、社長である一ヶ原高顕氏の秘書に任命されたのだ。社長自身の指名だという点が、私をさらに喜ばせた。

こうして私は、自分の醜さをバネにして、おそらく最高のスピードで階段を駆け上がった。しかし私はやはり認めざるをえないのだ。自分の中に恋愛に対する憧れが、依然として存在することを。一ヶ原高顕氏は私の能力を見込んで秘書に指名した。そしてさらに同じ理由で妻に選ぼうとした。だが私はこの場合に限り、別の根拠が欲しかった。もし彼の目に、少しでも女としての私を求める色があったなら、私は彼の妻になることを拒みはしなかっただろう。

とはいえこれは空虚な仮説にすぎない。もしもそういう選び方をするなら、彼は迷わず回廊亭の女将、小林真穂に求婚していたに違いないからだ。彼らの関係を私は熟知している。彼女は高顕氏にとって、まさに愛人と呼ぶにふさわしい存在だった。早くに妻を亡くした悲しみを紛らわすために、彼は彼女をそばに置いたのだ。それ以上のものはない。だから彼が不能者となるに及んで、彼女の愛人としての任務は終わった。

こういう事情があるわけだから、一年半ほど前に病気で倒れてから、高顕氏の私を妻にという考えは、より具体性を増したようだった。私は彼の意思をひしひしと感じとっていた。彼は自分が癌であり、もはや助かる見込みのないことを知っていた。死を前にして彼の最大の懸念事項は、自分が築いてきたものが今後どうなるか、ということだった。彼はそれを自分が最も信頼できる人間に託そうとしたにすぎないのだ。

七

デザートと呼べるものが出され、食事もそろそろ終わりに近づいた。話題が尽きたのか、場の盛り上がりも峠を越えたようだ。ちょうどいい頃だと私は思った。

「ちょっと皆様に聞いていただきたいことがあるのですが」

私がいうと、全員が動作を止めてこちらを見た。唯一身内でない人間が、何をいいだすのかという顔だ。

「話というのは、先程も少し話の出た桐生枝梨子さんのことです」

「桐生さんの？」

蒼介が意外そうにいった。「本間さんは彼女を御存じなのですか」

「そりゃあそうさ」と私の横から直之がいった。「詳しくは知らないが、彼女が本間さんとの連絡係をしていたはずだ。たしかそうでしたよね」

「さようでございます」

「そうでしたか。で、彼女がどうしたのですか」

「嫌な思い出かもしれませんが、あの方はここで火事に遭われて、その後自殺されたのでしたね」

まさに嫌な思い出なのだろう、殆どの者が一瞬目を伏せるようにした。しかしそうした反応とは全く対照的な声が飛んできた。

「あら、単なる火事じゃありませんのよ」

加奈江だった。彼女は周囲の者が渋い顔をするのにも気づかず、続けざまにいった。「あれは心中だったんです。桐生さんの恋人が交通事故を起こして、それで桐生さんを道連れに自殺しようとしたんですって。その恋人は死んじゃったけど、桐生さんは奇跡的に助かったんです。あの時はあたしたちも泊まっていたけど、本当にすごかったわあ」

一同は白けきっている。私は加奈江に微笑みかけた。

「ええ、そのことは私もよく存じております。新聞で読みましたからね」

「なんだ、そうだったの」

「その何日か後に桐生さんも自殺なさったのでしたね。恋人の死と、ひどい火傷——それらのショックが重なっての自殺と警察では判断したようですが」

「それ以外の理由は考えられないでしょう」

蒼介が疎ましそうな顔でいった。今さら何をいいだすのだという戸惑いが感じられる。「はい」と私も頷いた。「私もそれ以外の理由は見当もつきません。でも遺書はなかったということでしたね」

「遺書を書くどころじゃなかったのでしょうね。気が動転していて」

いいながら紀代美は目の前の食器をわざとらしく重ね始めた。こんな話は早くきりあげようということらしい。

私は呼吸を整え、一度全員をぐるりと見渡してからいった。

「でもじつはあったのです。桐生さんの遺書が」

えっという声を何人かが漏らした。私は懐ろから封筒を取り出した。普通のものより、少し大きめだ。

「桐生さんが亡くなって二、三日した頃、この手紙が届いたのです。御覧のように差出人の名前は桐生枝梨子さんになっております」

「たしかにそうだ」

直之が覗きこんでいった。「うろ覚えだが、こういう筆跡だったように思う」

「間違いなく桐生さんの筆跡だと思います」

私は断言し、封筒の中から一枚の便箋と、やや小さめの封筒を取り出した。この封筒はまだ開封されていない。

「便箋には、自殺を決意した桐生さんの心境が書かれております。どうぞ御覧になってください」

私は便箋をすぐ横の直之に渡した。彼は真剣な目でそれを読んでいたが、やがてはっとして顔を上げた。

「何と書いてあるんだ」

蒼介がじれったそうに訊いた。

「待ってくれ。今から読む」

直之は背筋をぴんと伸ばした。『この手紙が届く頃には、私はすでにこの世にはいないと思います。ポストに投函したら、そのまま自殺する決意をしているからです。私がなぜ自殺したのか、それについて世間や警察は、おそらく深く考えることはないでしょう。先だっての心中事件が記憶に新しいだけに、恋人の後追い自殺だとか、精神的ショックがあまりに大きかったせいだとか、適当な理由がいくつも思いつくからです。しかし本当はそんなことが原因で死を選ぶのではありません。あの心中事件の裏には、そして私が死を選ぶ背景には、もっと複雑で、深い事情があるのです。ただこの時点では、その事情についてお話しするわけには参りません。それを明らかにするには、それにふさわしい時と場所が必要なのです。とはいえ、私は死んでしまうわけですから、このままでは真実を伝えることはできません。そこで失礼は承知の上で、本間様にお頼みしたいことがございます。同封されている小さい方の封筒を、開封せずに預かっていただきたいのです。お察しのことと存じますが、その封筒の中にこそ、真実を書いた文書が入っております。さて保管していただく期間ですが、一ヶ原高顕氏の遺言書公開時までということにしたく存じます。高顕氏がまだ生きておられるのに妙なことを思われるでしょうが、じつは氏の病状は深刻で、長くてもあと一年は持たないであろうと医師からはいわれているのです。そして高顕氏の遺言書公開は、しかるべき時と場所を選び、限られた人間の前で行なわれるはずです。本間様もおそらくその場に立ち会われることだろうと推測します。そこでお頼み申し上げます。その折りにはこの封筒を御持参いただき、遺言書公開に先立って、皆の前で開封し読み上げていただきたいのでございます。その時こそ、なぜ私が死を選んだのか、なぜこのようなお願いをするのか、すべて明らかになるはずだからです。またこの封書の存在についても、その直前まで内密にしていただきたく存じます。奇妙な頼み事と怪訝に思われるのは重々承知しております。ですが、このようなことをお願いできるのは、もはや本間様しかいないのです。何卒よろしくお願い申しあげます。×年×月×日、本間菊代様、桐生枝梨子』」

　直之の淀みない代読が終わった後も、しばらくは誰も声を発しなかった。あの加奈江でさえ、緊張した顔つきのままだ。物音をたてるのが咎められるような雰囲気で、途中から来た女将の真穂も、戸口に座ったまま微動だにしなかった。

「そういうわけでございます」

　私がいうと、凍りついたようになっていた各自の表情が一気にほどけた。

「驚いたな」と、まず蒼介がいった。「彼女がそんなものを書いていたとは」

「いやしかし、考えられないことではないな」

直之は便箋を丁寧に折り畳むと私に返した。「僕自身は殆ど付き合いがないが、兄貴から聞いた話だと、あの桐生君という女性はかなりしっかりした人のようだった。例の心中事件は普通の女性なら自殺してもおかしくない出来事だったが、彼女があっさり死を選んだと聞いた時には、正直いって意外な気がしたものだよ」

「高顕兄さんも、到底信じられないっていっていってたわ」

曜子も横からいい添えた。

「すごいわね、いったいその封筒の中身にはどんなことが書いてあるのかしら」

すでに緊張の緩んだようすの加奈江が、興味津々といった顔で私の手元を見た。

「どうでしょう、本間さん」

蒼介が愛想笑いを浮かべた。「兄の遺言書の方は、明日古木という弁護士が来て公開することになっていますが、明日も今日も大した違いはない。今ここでその封筒を開くというわけにはいきませんか」

「今ここで……ですか」

そういって私は皆の表情を素早く窺った。この中には、遺書の開封を望んでいない者が必ずいるはずなのだ。その者は遺書の中身について察しがついている。蒼介は開封を提案したのだから、容疑者から外してもよいか。いやいや、老獪な演技と解釈できぬこともない。いざ開けるとなると、何だかんだといいだすかもしれないのだ。他の者はと見ると、概ね蒼介の提案を支持したそうな顔をしている。加奈江などは好奇心で目が血走っているほどだ。対照的なのは由香で、格別興味がなさそうにじっと自分の手元を見ていた。

「いや、それはやはりまずいよ」

私が明確に答えないでいると、直之が先にいった。「わざわざ遺言書公開の時と指定してあるんだ。故人の意思は尊重すべきだと思う」

「ほんの少しの違いじゃないか。どうせあと二十四時間以内には、すべてはっきりするんだ」

「だったら、そのわずかの時間ぐらい待てばいいじゃないか。本間さんはすでに何か月も待ってこられたんだ」

「それはまあ、そうだが」

弟にいい負かされた格好で、蒼介は苦々しそうに黙りこんだ。

「でも奇妙な話よね」

わずかに眉をひそめ、首を傾げて曜子が呟いた。「何かしら、心中事件や彼女の自殺の裏にある複雑な事情って」

「大したことでもないんじゃないかしら、単にもったいをつけているだけで」

紀代美が、自分は特に関心ないぞという顔でいう。こういう人間に限って、内心は好奇心でどろどろしていたりするのだ。

「里中、とかいったな、あの男」

う。蒼介が腕組みしながら口を開いた。「桐生君の恋人だったらしいが、一体何者だったんだろう。彼女に比べて、ずいぶんと若かったようだが」

「自動車の修理サービス会社の社員だとかいってたわ」

即座に答えたのは曜子だ。「桐生さんも車を持っていたらしいから、その関係で知り合ったのかもしれない。ただ、ちょっと意外なのは事実よね。彼女とは大して面識もないのだけれど、あんなに若い恋人がいるようには思えなかったもの。高顕兄さんだって、知らなかったみたいじゃない」

「らしいな。しかし桐生君本人が恋人だといってるんだから事実なんだろう。にもかかわらず、なぜ心中事件に裏があるなどというんだ？　彼女だって、恋人に首を締められたことを認めたはずなのに」

「いや、彼女はそうはいってない」

蒼介の言葉を、直之が訂正した。「誰かに首を締められたことは認めている。だが彼女は相手の顔をはっきりとは見ていなかったらしいんだ。おそらく里中だろうというのは、前後の事情から警察が導き出した結論だよ」

「そうかもしれんが、その点に特に問題はないんだろ」

細かいことをいうなとばかりに、蒼介は不機嫌な声を出した。

「ちょっと待って、そこのところが重要なのかもしれないわ」

曜子が兄弟の意見を制するように小さく両手を広げた。「もしもよ、桐生さんの首を締めたのが彼女の恋人……里中といったわね、その男じゃなかったとしたらどうかしら。あの事件は根本から違ったものになってしまうわ」

「おい、一体何をいいだすんだ」

つっかかるように蒼介がいう。

「あの事件が単なる心中とされたのは、警察がそう結論づけたからだわ。火事が起きて、その中には桐生さんと彼女の恋人がいた。その相手の男性は毒を飲んで死んでいて、桐生さんは夜中に首を締められている。またその男性は前日に人身事故を起こしていた。以上のことから心中と推定されたにすぎないのよ」

「妥当な推理だと思うがね」

「もし彼女の首を締めたのが里中で、そのことを彼女自身が証言しているなら、あたしだって妥当だと思うわ。ところが彼女は相手の顔を見ていない。その点がすごく引っ掛かるのよ」

「あの事件は単なる心中ではなく、何者かによって仕組まれたものだとでもいうのかい」

直之が、やや顔をこわばらせた。

「そういうふうに考えることも可能だということよ。じつをいうと、前から少し気にはなっていたの。あれは本当に無理心中だったのかなって。あの里中という人の年齢から考えて、そういう発想は出ないように思うの」

鋭い意見だった。大部分の若者は、人を殺した程度で自殺しようなどとは考えないものなのだ。ところが学生たちとの付き合いが多いはずの蒼介が、「心中なんてものに年齢は無関係だ」と無知ぶりを露呈した。するとそこを健彦が攻撃した。

「わかってないんだな。叔母さんのいう通りだよ。恋人を殺すほどの度胸がある奴なら、無理心中なんかを考える前に、何とかうまく事故をごまかせないかと考えるさ」

「あたしもそう思うわ。事故を起こしたから死ぬなんて、馬鹿みたいじゃない」

加奈江も同調していう。息子と姪から反論されて、蒼介は不愉快そうだ。

「しかしもし彼女の首を締めたのが別人で、彼女がその人間の顔を見ているなら、そのことを警察に話さないはずがないじゃないか」

「だから彼女は相手の顔を見ていないのよ」と曜子はいった。「でも何らかの根拠があって、仕組まれた心中事件だということはわかっている。ただその根拠というのは、警察を納得させられるものじゃないのかもしれないわね。つまり物的証拠とはならないというわけ。そこで下手に警察に話すのはやめて、別の形で告発することにした。それがこの遺書じゃないかしら」

彼女は私の手元にある封筒を指差した。

「くだらないわ」

義妹の力説を小馬鹿にするように一ヶ原紀代美は鼻から息を吐いた。「あの心中事件が仕組まれたものですって？　どうしてそんなふうに考えるのかしら。人身事故を起こした男が、恋人の泊まっている旅館に忍び込み、恋人を殺したうえで自分も毒を飲んで部屋に火をつけた、ただそれだけのことよ」

「じゃあお義姉さんは、どういうものだとお考えなのかしら。桐生さんが手紙の中で訴えている、心中事件の裏にある事情というのは」

「だからそれは大したことじゃないといってるのよ」

「それだけじゃわからないわ。たとえばどういうことかしら」

「そんなこと……知らないわ」

紀代美はぷいと横を向いた。

曜子は冷笑していった。

「桐生さんの遺書について皆さんが興味をお持ちのようだから、あたしなりに推理を働かせてみただけよ。もっとも、こういう推理ごっこは気に入らないというなら、もうやめますけれど」

「気に入らないわけじゃないが、どうも今ひとつ説得力に欠けるね」

蒼介はしかめっ面をした。「桐生君が警察に話さなかったという点が、やはり気にくわない。証拠能力は低くても、偽装心中と考える何らかの根拠があるなら、それを話すのが普通だと思うが」

「その点はまあ、たしかに疑問ね」

さすがに適当な説明が思いつかなくなったのか、曜子も口をつぐんだ。

私はほんの少し歯痒(はがゆ)さを感じた。警察の手に委ねるよりも自分の手で復讐する道を選んだのだ、とは考えられぬらしい。もっともそれは本人だからわかることであって、桐生枝梨子はすでに死んでいると思いこんでいる彼らに理解しろといっても無理な話だろう。死んだ人間には復讐などできないからだ。ところが沈黙を縫うように、加奈江が例の脳天気な口調でいった。

「警察にいうよりも遺書に書き残した方が、恨みを晴らせると思ったのかもしれないわ」

えっと皆が彼女に注目した。

「どういう意味？」と由香も訊く。

「別に深い意味はないわ。あの心中事件が仕組まれたものなら、桐生さんはたぶんすごく悔しかっただろうと思っただけ。その犯人を警察に捕まえさせたぐらいじゃ、気が済まないほどね」

私はこの楽天家を見直す気になった。論理的に物事を考えるのが苦手な分、感覚的に鋭いものを持っているのかもしれない。

「そう考えると、開封時を指定しているのが気になるわね」

娘の意見を引き継いで、またしても曜子が発言した。「兄さんの遺言書公開時と指定してある以上は、遺言と何らかの関係があるとみるべきだわ。加奈江がいうように、恨みを晴らすような効果があるのかもしれない。たとえばその遺書の内容が明らかになれば、高顕兄さんの遺産をもらえなくなる人が出るとか、ね」

「おい、冗談にしてもたちが悪いぞ」

蒼介が声をあらげた。「そんな言い方をしたら、まるで心中事件を仕組んだ人間が我々の中にいるみたいじゃないか」

「みたいじゃなくて、あたしはそのつもりでいったのよ。だってそうでしょう？　あの時もこの宿に泊まっていたのは、あたしたちだけだったんですもの」

「犯人が」といってから蒼介は口元をぬぐった。「いやもし犯人なんていうものが存在したとしての話だが、その場合でも犯人が泊まっていた者の中にいるとは限らない。この宿なんて、外部からいくらでも入ってこられるんだからな。事実、あの里中という男は外から侵入したんだ」

「あっ、それはだめなのよ伯父様」

加奈江が頓狂な声でいった。「あの時、警察の人が話していたのを聞いたの。火が出た時、『いの壱』のガラス戸には全部鍵がしてあったんですって。あいていたのはドアだけ。ということは、もしあれが放火なら、犯人は外じゃなく回廊に逃げたことになるわ」

意外な相手から意外なことをいわれ、蒼介は返す言葉を失ったようだ。加奈江は勝ち誇った顔だが、他の者は気まずそうにしている。

加奈江のいったことは事実だった。といってもそれは私がこの目でたしかめたのではなく、刑事から聞いたのだ。しかしそれだけに確実な情報といえる。

その結果私は確信したのだ。犯人が内部にいることを。心中に見せかけて、私たちを焼こうとした者は、必ずこの中にいる。

「まあ、何をいっても所詮は推理にすぎないわね」

重くなった空気をとりなすように曜子がいった。「いずれにしても明日になればわかること。その中に書いてあるはずだから」

彼女の言葉に、全員の視線が改めて私の手元に注がれた。私は神妙な顔で封筒を懐ろにしまいながら、内心計算通りとほくそ笑んでいた。

復讐計画の第一歩は、無事踏み出されたのだ。

八

復讐しなければならない——。

私の愛したジローがこの世からいなくなったとわかった時、最初に私の胸をよぎったのは、その思いだった。里中二郎を殺し、私をも抹殺しようとした犯人に仕返しするのだ。

だが一体どうすればいいのか。

何とかして敵に近づく方法はないものだろうか。

病院のベッドで私は考えた。だが復讐することよりも、まず懸念しなければならないことがあることに気づいた。それは、依然として私の命が狙われているはずだということだった。私が一命をとりとめたことは、犯人だって知っているのだ。

悩んだ末、私は賭けに出ることにした。つまり自らの存在をこの世から消してしまった上で、再び犯人に近づけばいい。

まず私は担当の看護婦に、再三自殺願望を仄めかした。真面目な性格の彼女は、私が気弱な台詞を口にすると、親が子供をしかる時のように厳しい口調で叱咤した。私は一旦は納得するだ。

が、またしばらくすると死にたいというようなことを漏らす。彼女は真剣に怒ってくれたものだ。

やがて私は自殺未遂を演じた。手首を果物ナイフで切り、睡眠薬を飲んだのだ。といっても危険性は全くない。手首を切ったといっても、それは皮膚だけのことで、傷は動脈からは遠く離れていたのだ。この自殺手段の成功率がひどく低いことを、私は何かの本で読んで知っていた。

それでも発見された時には大騒ぎになり、私の自殺願望が本物だと証明するには充分なデモンストレーションといえた。私は様々な人から御説教をいただくことになった。当時まだ生きておられた一ヶ原高顕氏からも、軽率な行為をいましめる書簡を受け取った。君らしくないではないか、というのが手紙の主旨だった。私はほかの人間はともかく、彼を騙すことにはかなりの抵抗があった。

自殺未遂事件以後、看護婦の見回りが増えた。私は相変わらずぐじぐじと死への憧れを口にし、いつまたおかしなことをするかわからないという危険な雰囲気を漂わせ続けた。

そして間もなく退院という頃、最後の賭けに出た。私は真夜中に病院をこっそりと抜け出し、歩いて駅に行った。小さな駅だし、深夜二時を少し回ったところで、駅前には誰もいなかった。しかしタクシーが一台、所定の乗り場に止まっている。付近には遅くまでやっている飲み屋が何軒かあり、そこを追い出された客が乗りに来たりするから、それを待っているのだろう。

私は近づいていき、後部ドアの窓を叩いた。運転手は居眠りをしていたらしく、飛びおきてドアを開いたが、私の姿を見るとぎょっとした顔になった。無理もない。こちらは顔の傷痕を隠すために大きなマスクとサングラスをつけ、おまけに季節外れのスキー帽をかぶっている。しかも着ているものは薄い色のガウンだ。夜中にこんな人間に出会ったら、誰でも神経が縮むだろう。

「……岬へ行ってください」

乗車拒否されては困るので、素早く乗りこんで私はいった。だがマスク越しで、聞こえにくかったらしい。「はっ？」と運転手は聞き直した。

私はもう一度はっきりと地名をいった。南に十数キロ行ったところにある、小さな岬だった。

運転手は明らかに怪訝そうにした。

「あの、今からあんなところに行くんですか？」

「お願いします。あそこで人と会うことになっているんです。お金はこれだけ出します」

私は一万円札を三枚、運転手の肩越しに渡した。

「ははあ……」

こちらの風体が異様であるし、あまり詮索して厄介なことに関わってはまずいと思ったのだろう。運転手はそれ以上は何もいわずに車を出した。私は幸運に感謝した。人によっては、金では動かない場合がある。

交通量の少ない国道を、タクシーは走り続けた。気がつかなかったが、少し雨が降ったらしく路面が濡れて光っていた。

夜間なので、岬までは三十分足らずで到着した。周囲に何もない道路の途中で、車を止めるよう指示した。

「こんなところでいいんですか」

運転手は久しぶりに口を開いた。

「ええ。人が……恋人が来てくれるはずなんです」

「ああ、そりゃどうも」

運転手は愛想笑いをしたが、「恋人」などという言葉を平気で口にする女性客を薄気味悪がったのだろう、頰が微妙にひきつっていた。

車から降りた後も、私はすぐにはその場を離れなかった。私が海に向かって歩きだすのを見れば、この運転手は事態を察して追ってくるかもしれないからだ。

彼は私のことを気にしていたようすだが、やがてそろそろと車を発進させた。テールランプが見えなくなるまで、私はそこに立っていた。

ほっとため息をついて耳をすますと、波の音がすぐそばで聞こえた。潮の香りもする。携帯用懐中電灯を取り出すと、その光を頼りに脇道に入っていった。ほんの数十メートルで、海に面した崖に出た。思いきって足を踏み出し、下を照らしてみる。ごつごつした岩肌が、波に洗われて光っていた。夜の海はコールタールのように黒く、不気味だった。

このまま飛びこんでしまったら、と一瞬考えた。その方がさっぱりするではないか。どうせ生き続けるつもりはない。死んでしまえばジローのことも忘れられる。

だが私は大きく深呼吸すると、暗い海の誘惑を断ち切るように首を振った。死ぬことはいつでもできる。それを最後の切り札にすれば、何も恐れるものはない。

セーターの上に羽織っていたガウンを脱いだ。病院で始終着ていたものだ。それを丸めると、思いきって投げこんだ。薄いピンクのガウンは多少風に煽られながらも確かに海に落ちていった。私はそこに自分自身を投影させた。私は今ここから落ちたのだ。桐生枝梨子は死んだ——。

次にスキー帽を投げ捨て、さらに持参してきた運動靴に履きかえると、それまで履いていたサンダルの片方を捨てた。これまた病院で愛用していたものだ。そしてもう片方は崖の縁に置いた。

この程度でいいだろう、偽装は凝りすぎると破滅を招く。

私は道を引き返した。無論足跡に気をつけながら、だ。この時履いている運動靴は、外出許可を得た時に密かに購入したものだった。セーターやジーンズもそうだ。数キロ歩けば、最寄りの駅に到着できるはずだった。

国道まで戻ると、来た時の道とは逆方向に歩き出した。数キロ歩けば、最寄りの駅に到着できるはずだった。

気をつけたのは、時折通っていく自動車の運転手に姿を見られないようにするということだった。病院を抜け出してタクシーに乗るところまでは、むしろ目撃された方が都合が良いぐらいだったが、ここからは見られるわけにいかないのだ。私はヘッドライトの光が近づくたびに、そばの草むらに身を潜めた。

駅に着いたのは、四時を少し回った頃だった。民家かと思うほど小さな駅だった。それでも待合室らしきものがあり、私は疲れた身体を横たえたくなったが、時刻表を見ただけで駅舎の裏に回った。こんな時刻から待合室にいたのでは、嫌でも駅員の記憶に残ってしまうからだ。私は人目につかない場所を見つけると、座りこみ、駅舎の壁に背中をもたせかけた。長時間歩いたので、全身が汗ばんでいる。放っておくとその汗は急速に体温を奪い始めるだろう。私は胸元に手を突っ込むと、手に触れた布を摑んで引っ張った。汗でしっとりと濡れたタオルが出てきた。こうなることを予想して、病院を出る時に身体に巻いておいたのだ。

少し眠ったのだろうか、気がつくと夜は明け、周囲に人の気配がするようになっていた。踏み切りの音もする。どうやら電車が動きだしたようだ。

私はマスクとサングラスを外した。その代わりにスカーフを取り出し、頭を覆った。さらにセーターを脱ぐと、ブラウスの上からマフラーのように首に巻きつけた。

始発電車をやり過ごし、二本目の電車が出る時刻を見計らって駅に入った。自動券売機で適当に切符を買うと、無表情のまま改札を通過した。駅員は特に私に興味を抱いたようすではなかった。

ホームには、会社員風の男女や学生の姿がちらほらとあった。だが彼らは他人には興味がないようすで、一様に眠そうな顔でぼんやりと座っていた。この無関心は電車に乗ってからも続いたので、私には大いに都合がよかった。

こうして私は自らの存在をこの世から抹殺することに成功した。後に知ったことだが、病院では私が脱出した約一時間後に大騒ぎになっていた。彼らはまず手分けして病院の周囲を探し回ったが、見つからなかったので警察に通報した。自殺のおそれがあるということで、警察もかなりの人間を使って調べたらしい。しかし夜中ということもあり、手がかりはなかった。ようやくそれらしき――つまり私らしき――客を乗せたというタクシーが見つかったのは、朝の八時頃である。警官は運転手の話から例の岬に直行し、そこで女性用のサンダルを発見した。その瞬間おそらく警官は、最悪の事態を予想しただろう。

その予想が現実だと彼が確信するのは、その日の午後だった。近くの海べりから、女物のガウンが発見されたのだ。関係者の証言から、それが桐生枝梨子のものだと判明した。またその二日後には毛糸の帽子が見つかった。片方のサンダルは、どうやら海の底に沈んだらしく、最後まで出てこなかった。

それらの状況や、それ以前の奇行から、桐生枝梨子は自殺を計ったのだろうと結論づけられた。ただ死体の見つからないのが、警察を含めて関係者たちの胸に引っ掛かる点であっただろう。だが結局事件はうやむやに終わってしまうことになる。桐生枝梨子の消息は不明のままだし、彼女には偽装自殺などをする動機は存在しなかったはずだからだ。

あの朝電車に乗った私は、いくつかの交通手段を使い、その日の午後には群馬県前橋市に足を踏み入れていた。復讐計画を練った時から、行き先はここだと決めていたのだ。ここには、私が最も信頼できる本間菊代夫人が住んでいた。

本間重太郎氏は、一ヶ原高顕氏の学校の先輩であり、経営上の良き相談相手であった。といっても、一ヶ原氏の会社とは直接何の関係も持っていない。この人物のユニークなところは、人や金といった駒を使って経済という盤上の将棋を指すのは大好きだが、自分の地位などには全く関心がないという点だった。一ヶ原氏も何度か彼に名誉職を与えようとしたが、とうとう最後まで受け取らなかったのだ。

その重太郎氏が心筋梗塞で急死したのは、この時点から約一年前のことである。彼の死に関して一ヶ原氏は、残された菊代夫人のことを最も気にかけた。財政的な援助はたやすいが、身寄りのない夫人を精神的に支えるのは簡単ではない。そこで一ヶ原氏は、定期的に夫人のようすを見に行くことにした。ペースとしては、ひと月に二、三回というところだ。特に何をするわけでもない。手土産を持ち、世間話をして帰るだけだ。それでもたしかに夫人は嬉しそうだった。

そのうちに一ヶ原氏自身の健康状態が思わしくなくなり、夫人のもとへは私が一人で通うことになった。自分が行けなくて申し訳ないという一ヶ原氏の言葉を伝えると、夫人は目尻に無数の皺を刻み、悪戯っぽく笑いながらいった。

「いえ、構わないんですよ。本当のことをいうとね、桐生さんだけが来ていただけるようになって喜んでるの。高顕さんには悪いけれど、私が会社の業績の話を聞いても仕方がないでしょ。欠伸をこらえるのに苦労しちゃって。それにやっぱり、女同士の方が楽しいわ。こんなお婆ちゃんでも、女と思ってくれたらの話だけど」

実際彼女は私が来るのを心待ちにしてくれているようだった。私も彼女と会うのが楽しみだった。彼女の様々な思い出話は、いつも私に暖かみと、教訓を与えてくれた。私は彼女に現代を教えた。二人とも料理が好きで、「新しい情報はないかしら?」というのが挨拶代わりだった。どちらかが、「ある」と答えれば、そのまま台所に直行する。そして新しいメニューに二人して挑戦するのだ。

夫を亡くして、彼女が寂しがっているのはたしかだった。だが考えてみると、私にしてもこれほど心を許せる相手はいなかったのだ。

ジローのことを話したのも、菊代夫人が最初で最後だった。それまで彼女は私に、結婚や恋人といった話題を向けてきたことはなかった。だが私に恋人ができたことを打ち明けると大きく頷いていった。

「だろうと思っていたわ。だって枝梨子さん、この頃きらきらしているものねえ」

相手の年齢が八つも下だということを話すと、彼女は一瞬戸惑ったような目をした。しかしすぐに元の優しい笑顔に戻った。

「枝梨子さんなら、そういう方が合っているかもしれないわね」

「応援していただけます？」

「もちろんよ。一度連れていらっしゃい」

「ええ、今度」と私は小声で答えた。

復讐を決意し、自殺偽装まで考えが及んだ時、身を隠す場所は夫人のところしかないと思った。夫人ならわかってくれる、そう信じたのだ。

無論あの心中が仕組まれたものであることや、私が復讐するつもりだということは隠さねばならない。あの菊代夫人が犯罪を見逃すはずはないし、私にしても彼女に迷惑をかけたくはなかった。ただ、偽装自殺のことは話す必要があった。これについては、しばらく皆の前から姿を隠したかったのだと説明するつもりだった。

しかし私は菊代夫人に会えなかった。いや、会えたのだが話をすることはできなかった。本間家で私が見つけたのは、居間で倒れている夫人の亡骸(なきがら)だったのだ。

腐敗が進行し異臭を漂わせている死骸のそばでは、新聞が開かれたままになっていた。その新聞を見て、私はなぜ彼女がこのような姿になったのかを悟った。社会面に、例の回廊亭での心中事件が載っていたのだ。記事には名前こそ出ていないが、A子さんというのが私だと菊代夫人にはわかったはずだ。彼女は彼女の夫と同じように心臓を患っていた。記事を見て、ショックのあまり発作を起こしたのだろう。私は自分の入院中、彼女が一度も連絡を寄越さなかったことを思い出し、そのことに不審の念を抱かなかった迂闊さを呪った。

私はずいぶん長い間、菊代夫人のそばで泣いていた。死体が気味悪いという意識は皆無で、ただ悲しかった。仕組まれた心中事件は、私から多くのものを奪いとった。私には何も残っていない。

どのくらいそうしていただろうか、誰かが呼ぶ声が耳に入ってきて私は我に返った。玄関で誰かが呼んでいるのだ。本間さあん、いらっしゃいますか——。

私は急いで涙を拭くと、充血した目をごまかすために菊代夫人の眼鏡をかけ、玄関に出ていった。そこに立っていたのは、近所の主婦らしき女性だった。彼女は私を見て少し驚いたようだ。

「あら、親戚の方？」

太った女は無遠慮な訊き方をした。私は思わず、はいと答えていた。

「そう。いえね、何だか新聞や郵便が溜まってたようだから気になってお声をかけたわけなんだけど、別に変わったことはないのね」

女の口調は、心なしかがっかりしているように聞こえた。私は本当のことをいう気持ちを完全になくした。

「今朝までうちの家に遊びに来ていたんです。どうも御心配かけて申し訳ありませんでした」

「ああ、そう……」

女は私をじろじろ眺めた後、そのまま何もいわずに出ていった。

この最初の嘘が私を決断させた。菊代夫人の死は隠しておこう。そして来たるべき時に、自分が夫人に変装して敵に近づくのだ。そのチャンスは必ずある。

それからの数か月を、私は息を潜めるようにして過ごした。幸い訪ねてくる人間はいなかった。時々電話がかかってきたが、夫人が直接話さねばならないような相手ではなかった。私はホームヘルパーと称して、すべての電話の応対をした。誰も怪しまなかった。怪しむほど夫人と親しい人間はいなかったのだ。

申し訳ないことだが、夫人の遺体は押し入れの床下に埋めさせていただいた。特に良心が痛んだのは、水でといた家庭用セメントを流しこむ時だった。しかしこうしないと臭いの漏れる恐れがあるのだ。作業を終えた後も、私は毎日押し入れの前に花を飾った。

この頃の私の日課は、菊代夫人に関する情報を頭と身体に叩きこむことと、変装の練習をすることだった。外人女性のノンフィクション小説に、老婆に変装して何年間も生活したという話がある。それならば私にだってできぬことはない。しかもこちらは、ほんの数日間騙し続けられればいいのだ。

だがこの変装も思ったほど容易ではなかった。芝居やテレビドラマのメイクアップとは違うのだ。そばで見ても不自然に感じられないようにしなければならない。また外観をいかにうまくごまかそうと、身のこなしが三十代の女のままでは意味がない。毎夜鏡に向かって練習し、自信が芽生えてくると実際に外出して変装の成果を試したりした。

そのようにして約四か月が過ぎた頃、私は新聞記事で一ヶ原氏の死去を知った。悲しい気持ちと、ついに来るべき時が来たのだという気持ちが半々だった。私は菊代夫人の喪服を身につけ、すでに完成の域に達していた変装を施して葬儀に出席した。

社葬は改めて行なわれるということだったが、葬儀には一ヶ原家の人間のほか、会社役員や仕事関係者の姿もかなりあった。しかし誰も私が偽物だとは見抜けなかった。本間重太郎氏のことは知っていても、菊代夫人と会った人間などいなかったからだ。勿論、私が桐生枝梨子だと気づく者も皆無だった。

私は堂々と焼香をすませて寺を後にした。平静を装っていたが、心臓の鼓動はいつもの三倍ほどになっていた。緊張のせいだけではない。自分が復讐すべき人間がこの中にいると思うと、我慢ならなかったのだ。

このように菊代夫人としての御披露目は無事終わったが、問題は次の手順だった。いかにして核心に迫るか。ところがこの機会は、向こうの方からやってきたのだ。

葬儀から一週間後に届いた一ヶ原蒼介からの手紙には、高顕氏の遺言書公開についてのことが書かれていた。四十九日を回廊亭にて行なうが、遺言書の関係者として菊代夫人の名前が挙がっているので是非出席してもらいたい、という内容だった。私は迷わず、出席の意思を書面にて伝えた。

こうして私は長い道のりを経て、再びこの回廊亭にやって来たのだった。今度は桐生枝梨子ではなく、本間菊代として。

九

この中に犯人がいる。そう考えなければ辻褄が合わないのだ。しかしそれが誰なのかはわからない。

犯人の正体をつきとめるため、私は一つの作戦を考えた。囮を使って相手から来てもらうのだ。その囮というのが、さっき皆の前で見せた桐生枝梨子の遺書だ。

犯人は必ずこの遺書を狙ってくる。もしあの心中事件の秘密が暴露されたら、身の破滅とわかっているからだ。

食事を終えると、一ヶ原家の人間はばらばらに分かれて、自分の部屋に戻ったり、浴場に向かったりした。私はロビーでくつろぐことにした。加奈江と由香、それから健彦もやってきて、同じテーブルについた。早速加奈江が口を開いた。

「ねえ、おばさまは薄気味悪くございません？　あんな事件があった部屋なんかにお泊まりになって」

普通なら避けたい話題でも、こういうふうに何の遠慮もなく口にできるというのは、やはり彼女の長所というべきなのだろう。私は思わず微笑んだ。

「気味悪くなんかありませんよ。建て替えたばかりで新しいし、景色はいいし」

「でも幽霊が出そうで嫌だわ」

左右の二の腕をこするようにして加奈江は震えてみせた。

「加奈江さん、失礼よ」

由香は従姉妹の不作法を責める目つきだ。しかし他人を思いやる心理からではなく、人が自分をどう評価するかという計算からきていることが明らかなだけに、案外加奈江よりもたちが悪いかもしれない。

「幽霊ねえ。出たら面白いかもしれませんねえ。桐生さんとは知らぬ仲ではなかったし」

幽霊ではなく実物がここにいるのだ。そう思うと笑いがこみ上げてきた。

「さっきの遺書ですけど」

由香がやや固い顔つきできりだした。「中の内容について、おばさまは全く見当がついておられないのですか」

「ええ、全然」

「あたしは桐生さんという人のことを殆ど知らないんですけど、叔父や叔母が話していたようなことがありうると思われます？　つまり心中事件は偽装で、それを告発した内容が書かれているというようなことが」

「あれは勝手な想像だよ」

私より先に健彦がいった。「特に叔母さんは、話を複雑にして楽しんでいるみたいなところがあった」

「あら健彦さん、さっきはママの肩を持ったくせに」と加奈江が膨れた。

「そうだったかな」

「若者は無理心中なんて考えないっていったじゃない」

「一般論としていっただけさ」

「同じことだわ。無理心中がありえないなら、仕組まれたってことになるじゃない」

「ちょっと加奈江ちゃん、あたしはおばさまに伺っているんだけど」

由香が叱責の口調でいうと、加奈江はぺろりと舌を出した。健彦も少々ばつが悪そうだ。私は微笑みを浮かべた。

「私はあの事件については、新聞で読んだ程度にしか知りませんからね。むしろこちらからお尋ねしたいぐらい。皆さんも、あの時この宿に泊まっておられたのでしょう」

「ええそう」と加奈江が答えた。「一年に一度の恒例で、親戚一同が集まってたわけ」

「驚いたでしょうね」

「驚いたなんてものじゃないわ。あたしなんて、ぐっすり眠っていたんですけど、突然ものすごい大騒ぎになって飛び起きちゃった。あの時あたしは『に』の建物で寝ていて、火事の起きた部屋からは遠かったのでそれほどでもないけど、ママなんて怖かったんじゃないかな。渡り廊下を挟んですぐそばだったんですもの。おまけに一人だし」

「加奈江さんのお父様は、その時も来ておられなかったのね」

「ええ。三年ぐらい前までは来ていたんですけど、どうも伯父様たちと馬が合わないらしくって、来なくなっちゃいました。でもおかげであんな事件に巻きこまれなくて済んだわけだから、運が強いのかしら」

加奈江は鼻の上に皺を寄せる。加奈江の父親といえば、ほんの一、二度会っただけだ。叩き上げの商売人といった雰囲気を持つ男で、蒼介あたりのインテリぶった会話とは肌が合わないかもしれない。

とにかくその場にいないのであれば、容疑の対象から外せる。その意味では蒼介の妻もそうだ。彼女は身体を悪くして、このところずっと療養所暮らしなのだ。

「最初に火事に気づいたのはどなた？」

さりげなく私は訊いた。

「ええと、誰だっけ？」

加奈江は他の二人の方を向いた。

「誰が最初に気づいたのかはわかりませんが、僕が知ったのは父の声を聞いたからです。火事だって、大きな声で叫んでいました」

健彦が答えると、加奈江も同調した。

「それ、あたしも聞いたわ。その後は何が何だかわからなくなったわね。みんなもうあわてちゃって」

その時の各自の行動を詳しく聞きたいところだが、質問する理由が見当たらなかった。

「由香さんのお部屋も、火元からは離れていたのかしら？」

「ええ。今回と同じく『はの参』にいましたから」

「眠っていたの？」

「はい。だからやっぱり、誰かの叫び声を聞いて目が覚めたのだと思います」

「あら、でもそのわりには由香さん、部屋を出るのは早かったわよね」

加奈江が不思議そうにいった。

「そうだったかしら」

「そうよ。だってあたしが部屋を飛びだした時に、由香さんが本館に向かって走っていくのが見えたもの」

「それは加奈江ちゃんがのんびりし過ぎてたのさ」

健彦がからかうようにいい、加奈江は膨れっ面をした。

「その時加奈江さんが見たのは由香さんだけ？」と訊いてみた。

「みんなもいたけど、よく覚えてなくて……。でも女将さんとすれ違ったのは覚えてますわ。

皆さん大丈夫ですかって叫びながら」

責任感の強い彼女らしいと私は思った。

「火事の前に誰かが物音を聞いたとか、そういう証言はなかったのかしらねえ」

私がいうと、健彦は揶揄するように笑った。

「だって全員寝ていたんですよ。それに『いの壱』の部屋で物音がしても、聞こえるのはせいぜい一番近くの部屋にいた曜子叔母さんだけでしょう」

「でも物音のするのが、『いの壱』だけとはかぎらないじゃない」

加奈江が私の代わりに反論した。すると健彦は鼻を鳴らした。

「ほかの部屋でどんな音がしようが、火事とは関係ないじゃないか」

「ああらそうかしら。もし放火の犯人が内部にいたなら、部屋を出入りする音とかが聞こえたかもしれないわ。みんなに尋ねて回ったらどうかしら」

「加奈江ちゃん」

由香が突然きつい調子でいった。「そんな音ぐらいのこと、何の証拠にもならないわ」

「そうだよ、却って皆を不安に陥れるようなものじゃないか」

「あたしは、もし犯人がいるならそういう音がしたかもしれないといっただけよ。何さ、二人して共同戦線張っちゃって」

「まあまあ、そんなふうに口論しないでちょうだい」

私は人の良い老婆を演じ、三人に等分に笑みを配った。

「やあ、賑やかだな」

そこへ直之が現われた。湯上がりらしく髪が濡れている。「気持ちの良い湯でしたよ。本間さんもお入りになったらどうですか」

「いえ、私は夕方いただきましたから」

「あたし、入ってこよっと」

加奈江が不機嫌な顔で立ち上がった。それで空いた席に直之が腰を下ろした。

「何を話していたんですか?」

彼が笑顔で訊いたが、由香も健彦も答えない。すると立ち去りかけていた加奈江が振り返っていった。

「あの心中事件の夜のことよ。もし誰かが仕組んだものなら、何か心当たりのある人がいるんじゃないかって話してましたの」

「ふうん、そういうことか」

あまり気乗りしない話題らしく、直之は少し鼻白んだ。

「叔父様は何かありません? 夜中に物音を聞いたとか」

彼の表情に気づかぬのか、加奈江は質問する。由香が何かいいたそうに唇を開きかけたが、その前に直之は即答した。

「いや、全く覚えがないね。何しろあの夜は熟睡していた」

「じゃあ直之さんも、蒼介さんの叫び声で目を覚まされたくちですか」

私がいうと、彼は口元をほころばせた。

「そうです。全くでかい声で、びっくりしました」

「部屋はどちらでした？」

「今回同様、『はの壱』ですが」

「おばさま」

由香が突然椅子から立った。それで私が少し驚いた顔をすると、今度は穏やかな声でいった。

「あたし、ちょっと失礼して、お風呂に入ってきます」

「はいはい、どうぞごゆっくり」

「じゃあ僕もこれで失礼しようかな」

由香がいないのでは意味がないと思ったか、健彦も彼女の後についてロビーを出た。彼らを見送ってから、私は直之に微笑みかけた。

「若い人といると楽しいですわ。おまけに由香さんや加奈江さんはお美しいし」

「しかし何を考えているのかわからない。油断するとひどい目に遭います」

「おやおや、何やら物騒な」

「本当ですよ」

直之は意味あり気な一瞥を渡り廊下の方に向けると、私を見てにっこりした。「飲み物をもらいましょう。何がいいですか」

何でもいいと答えると、彼は小林真穂を呼んでウイスキーの水割りと適当な肴、それから暖かいウーロン茶を持ってくるよう指示した。この男と二人きりになりたくはないが、今席を立つのも不自然だろう。

「前橋はまだ寒いでしょう」と彼は訊いた。

「ええ、でも最近ようやく庭の鉢植えにも元気が出てまいりました」

前橋には、本間夫妻の住居がある。木造の、小さな二階建てだ。

「御家族がおられないと伺っておりますが」

「はい。本間が亡くなってからは、一人っきりになってしまいました」

この台詞をいう時、菊代夫人は決して寂しさを相手に気取られないよう努めておられた。私は記憶の中にある彼女の表情を真似したつもりだった。

「一人では何かと不便でしょう。お手伝いさんを雇われたらいかがですか」

「そう思っておりますが、なかなか来ていただける人がいなくて。それにこちらも信用できる人でないと困りますし」

菊代夫人がいつもおっしゃっていたことだ。そして彼女はこう続ける。「なに、一人の方が気楽でいいことも多いものですよ」

「最近は疎遠になりました。若い人たちは、そういうことを嫌いますし」

「そうですか、それはそうかもしれませんが」

直之は何かいいかけてやめた。それでは年寄りが自宅で倒れていても誰も気づかないではないか、ということを口にしようとしたに相違なかった。

「それにしても」と直之はいった。「こうして本間さんと向きあっていると、どうも妙な気がします。不思議な雰囲気とでもいうのかな。失礼ですが、自分よりも年配の方と一緒にいるという感じが少しもしないんです」

「それは私が幼稚な性格だからですわ」

私はうつむいた。真っすぐ顔を合わせるのが怖い。

「いやそういう意味でなく、隠された若さとでもいうのかな……」

危険信号だ。彼の意識を別の方向に向けなければ。

「あの、お茶はまだでしょうか」

私がいうと、彼は我に返った顔になった。

「あ、そういえば遅いですね。ちょっと見てきましょう」

席を立っていく彼の後ろ姿を見て、ひとまず胸を撫で下ろすと、懐ろから手鏡を取り出した。化粧の崩れがないかどうかをチェックする。大丈夫、異状なしだ。


「御近所との付き合いはどうですか」

直之の催促が効いたのか、間もなく飲み物が運ばれてきた。彼は水割りを飲みながら、米国での仕事や生活のことを口早に話す。私は菊代夫人がそうしていたように、やや下を向いて微笑みを浮かべたまま、相手が話しやすいように時折頷いたり、邪魔にならない程度に言葉を挟んだりした。

「お話が弾んでいるようね。お邪魔してもよろしいかしら」

やがて曜子がやって来て、直之の隣りに腰を下ろした。

「直之さんから外国の話を伺っていたのです」

「外人の女性の話は出ませんでした？」

にやにやしながら曜子は自分の水割りを作った。直之は苦笑した。

「向こうでの忙しさを知らないから、そういう冗談をいえるんだ。高顕兄さんは人使いが荒かったからな」

「あなたのためだって、兄さんはいってたわ。一人前の実業家に仕立て上げるには、少々苦労を味わわせなきゃだめだって」

「少々？　あれが少々とはね」

直之は大袈裟（おおげさ）に顔をしかめた。

「高顕兄さんのバイタリティーは別格だったものね。だからこそ一ヶ原家の財産を一挙に膨らませることにも成功したわけだけど、早死にしちゃ何にもならないわよねえ。お金を墓場までは持っていけないんだし」

話題が少しずつ高顕氏の遺産の件に向いていっている。無論曜子が意図してのことだろう。

「相続……か」

グラスの中の氷を見ながら直之がいった。「面倒臭い話だ」

「兄さんはどういう魂胆で遺言書を書いたのかしらね」

曜子は声を落とした。

「魂胆とはひどい言い方をするな」

直之は姉の台詞に苦笑した。

「でも何かたくらんだことは事実だわ。遺産の分割を、あたしたちに任せてくれなかったわけだもの」

「だからよかったのさ。遺言書がなかったら、どれだけ揉めるか知れないからな」

「そりゃそうだけど、あまり感じのいいものじゃないわね。兄さんに気に入られてたか、そうでなかったか、はっきりするわけだから」

「何でもいいさ。僕は与えられるものを受け取るだけだ。兄貴が何もくれないというのなら、それも仕方がない。日頃の行ないが悪かったということさ」

氷をカランと鳴らし、直之は私を見て笑った。

「あなたはいいわよ。実質的には兄さんの会社を継いでるわけだし、すでにそれなりのものを築きあげもしたわ。恩恵は充分に受けたじゃない」

「そういう姉さんのところだって、今さら遺産に目の色を変えることもないだろう。旦那の不動産業は相変わらず好調らしいじゃないか」

「まあ、それはそうだけど……」

そういうと曜子はちょっと横を向き、小さく吐息をついた。その表情に妙な硬張りが感じられる。

「蒼介兄貴にしても特に金には困っていないだろうし、ある程度のものを貰えばいいと思っているんじゃないかな」

「ところがそうでもないらしいの」

曜子は眉をひそめてみせた。「兄さん、いよいよ出るつもりらしいわよ」

「出るって、まさか……」

「決まってるじゃない。選挙よ。前にもそんなことをいったことがあったでしょ。あの時は結局断念したけど、今年は本気みたい」

「前回は高顕兄さんの援助が受けられずに諦めたんだったな」

「兄さんは代議士の知り合いが多かったから、身内をあんな世界に入れたくないと思っていたのよ」

「その兄貴がいなくなってチャンス到来というわけか。選挙には金がかかるからな」

直之はテーブルをコツコツと指で叩いた後、私を見て顔をしかめた。「すみません、生臭い話をお聞かせして」

「本当、身内の恥だわ」

「いえいえ」と私は掌をふった。「私などには縁のないお話ですから、とても興味深いです。選挙にお出になられるのなら、成功なさるとよろしゅうございますね」

「さあ、どうなるものかしら」

「話題を変えよう。明るい話がいいな。となると、加奈江ちゃんの縁談話か」

「おや、お決まりでございますか」

私がいうと、曜子は笑いながら首を振った。

「まだ本人には全然その気がないようですわ。お見合いの話も何件かあったんですけど、写真を見る前から断わる始末で」

「誰か好きな人がいるんじゃないか」

直之が笑いながらいう。

「それならそれでいいんだけれど、あたしの見たところじゃ、そんな相手はいないわね。もっとも、母親の勘なんて当てにならないっていうけれど」

曜子は肩をすくめてみせた。あの娘のことを理解するのは、たしかに困難だろう。

「お嬢様はお美しいから、いい寄ってくる男性が多すぎて迷っておられるんじゃないですか」

私はお世辞をいった。

「ありがとうございます。でも残念ながらそうじゃありませんわ。はっきりいってまだ子供なんです。主人も、あれは三十近くにならないと妻として役に立たないといっております」

「それはまた手厳しい」

私は老婆のように口をすぼめて笑った。

「加奈江よりは、やっぱり由香さんの方が先でしょうね。紀代美さんはまだ手放したくないみたいだけど」

「健彦君との仲はどうなってるのかな。以前、二人を一緒にさせるという話があったようだけれど」

「あれはどうかしらね」

曜子は唇の端に、馬鹿にしたような笑みを滲ませた。「健彦さんが一方的に好いているだけで、由香さんにその気はないんじゃないかしら」

「蒼介兄さんはずいぶん乗り気のようだったけれど」

「そりゃあ、由香さんが嫁いできてくれれば、財産が二倍になるもの」

曜子の答えに、直之は吹き出した。

「まさかそれほど単純じゃないと思うが」

「蒼介兄さんの頭の中なんて単純よ。それに比べて策士なのが紀代美さん。あの人は由香さんを政財界関係へ嫁がせたいと思ってるから、もし兄さんが選挙に出て当選でもしたら乗り気になるかもしれないわね。ただ――」

曜子は身を乗り出し、好奇の色を目に宿らせた。「加奈江の話じゃ、由香さんにはすでに好きな人がいるらしいわ。誰かはわからないんだけど、健彦さんでないことはたしかみたい」

「へええ、それは初耳だな」

直之は大袈裟に驚いた格好をすると、薄くなった水割りにスコッチをどぼどぼと注ぎ足した。

「直之さんは、どなたか良い人はいらっしゃらないのですか」

私は半分本気で尋ねた。彼がこの歳まで独身というのが、長い間の疑問だったのだ。

「残念ながら縁がありません。独身貴族などという言葉は、もはや似合わない歳ですが、こればかりはどうにも」

「あんなことといって、じつは結構選り好みしているんですよ。本間さんからいってくださいな。もうすぐ四十になろうって弟が未だに独り身というのは、大きな声では人様にいえないものなんですから」

「なんだか火の粉がこちらに飛んできたな。この話題もあまりよくなさそうだ」

おどけた口調で直之がいった。この二人は父母共に同じだからか、蒼介に対する時よりもずいぶん融けあっているようだ。

私としては例の心中事件に話題を持っていきたいところだった。曜子にもっとしゃべらせてみたい気がする。ただ直之がいては、それもやりにくかった。

姉弟（きょうだい）の顔を交互に見ながら、私は腰を浮かせた。

「さて、じゃあ私はそろそろ失礼させていただきます。少々疲れたものですから」

「それがいいですね。明日は早くありませんから、どうぞゆっくりお休みになってください」

「おやすみなさい。明日を楽しみにしていますわ」と曜子もいった。

「はい、おやすみなさいませ」

二人に向かってぺこりと頭を下げ、私はロビーを後にした。

回廊を通って部屋に戻るつもりだったが、ふと気が向いて庭に出てみることにした。庭にはところどころ常夜灯が設置されており、さほど足元に気を遣わず散歩できる。あと二週間もすれば、夜桜を楽しむこともできるだろう。

池のほとりにベンチがあったので、汚れていないことを確認してから腰を下ろした。池の表面に、回廊亭が逆さに映っている。目を上げると、ちょうど正面に『い』の棟があった。

俄(にわか)にあの時の恐怖と絶望が蘇ってきた。もしかすると、あのまま火に巻かれ、何も知らないまま死んでいた方が幸福だったかもしれない。今の苦しみは、死ぬよりもつらい。

ジロー。私のジロー。

あの声、あの笑顔、そしてあの若々しい肉体。もう二度と私のもとに戻ることはない。私の一生に一度といっていい恋愛は、想像もできぬほど残酷な形で終わりを迎えたのだ。

自分でも気づかぬうちに涙がこぼれていた。ジローの思い出は、いつまでたっても私の心を揺さぶる。

急いでハンカチを目に押しあてていると、人の気配がした。見ると、女将の小林真穂が歩いてくるところだった。彼女はこんな時間に人がいるのを見て少し驚いたようだ。

「夜の眺めも、なかなかいいものでございましょう?」

しかしすぐに女将としての笑顔に戻っていった。

「ええ、充分堪能させていただきました」

私はベンチから立ち上がった。「女将さんも、夜のお散歩ですか」

「見回りなんですよ。いつもはしないのですけど、今夜はお客様がいらっしゃるから」

「それはそれは大変なことですねぇ」

「大したことじゃございません。それこそ散歩ついでのようなもので」

私たちは何となく肩を並べて池を見下ろす格好になった。

この女性に私たちを殺そうとする動機があるだろうかと考えてみた。他の者はある。遺産目当てだ。しかしこの女性は、私たちが死んだとしても何も得をしないはずだった。

強いていえば嫉妬か。

それなら考えられぬこともない。彼女は最初から最後まで愛人のままで、とうとう高顕氏から求婚されることはなかった。それが六年かそこらの付き合いに過ぎない女秘書に妻の座を奪われるとなれば、衝動的に殺してやろうという気になるかもしれない。

いやしかし、と私は首を傾げる。あれは衝動的なものではない。巧妙な計画殺人だ。となると、小林真穂のセンは薄くなるのか。

「どうかなさいましたか」

私がじっと彼女の横顔を見つめていたからか、真穂は不思議そうに訊いた。いいえ、と私は笑みを返した。

「女将さんは、この旅館に来られてからどのくらいになります？」

「さあ、もうかれこれ二十年近くになりますでしょうか」

小林真穂は池の方に顔を戻していった。

「ずっとお一人で？」

「ええ、一人です」と、彼女は頷いた。「結婚したらやめますと一ヶ原さんには申し上げていたのですけど、とうとうお暇をいただくことはできませんでした」

「いい人がおられなかったのですね」

「というより、ここを任された時にはすでに婚期を逃していましたから」

小林真穂は、さもおかしそうに笑った。

「まさかそんなこと」

私も笑い顔を作った。

真穂は少しの間、その笑みを保っていたが、ふっと真顔に戻ると再び池に視線を戻した。そして長いため息をついた。

「一ヶ原さんは、この宿をとても愛しておられました。自宅以上にくつろげる場所だともおっしゃっておりました」

私は頷いた。そのことは私だって知っている。高顕氏がここへ来る時は、大抵私も一緒だったのだ。

「私がここの女将をしていられるのも、あとわずかかもしれませんね。明日の結果如何によっては……」

小林真穂はしみじみといった。私は少し意外な気がした。彼女自身が次の経営者のことを心配するのは当然なのだが、そういうことを口にしない女性だと思っていたからだ。私を部外者と思っているから、つい本音が出たのだろうか。

「心配いりませんよ」と私はいった。「皆さん、女将さんの手腕をとても高く評価しておられました。誰が経営することになっても、変わらず面倒をみてくれということになりますよ、きっと」

「ありがとうございます」

彼女は小さく頭を下げた。「でも正直申し上げますと、私自身が少々疲れているのです。そろそろ引き時ではないかと思います」

「そんな……馴染みのお客さんが、がっかりされますよ」

「いいえ、私なんか」

いってから彼女は、照れくさそうに手を口元に持っていった。「おかしなことを口走ってしまいました。どうかこの話はここだけのことに」

「ええ、わかっております」

私たちは建物に入ると、左右に別れた。

「それでは失礼いたします。何かございましたら、電話でお呼びください」

「はい、どうも。おやすみなさい」

彼女と別れると、渡り廊下を歩いて自分の部屋に戻った。まずは入口に鍵をかけ、ふうーっと息を吐いて座りこんだ。

長い時間が無事過ぎた。誰も私の正体に気づいたようすはなかった。そしてほぼ満遍（まんべん）なく、すべての人間に接することができた。

後は相手の出方を待つだけだ。正体不明の相手の。その者は必ず今夜行動を起こすだろう。明日になれば、殆どチャンスはないからだ。

時計を見た。まだ十一時を少し回ったところだ。しかし七十歳を間近に控えた老女であることを考えれば、布団に入るのが当然の時刻でもある。私は寝間着に着替えると、枕元に例の封筒を置いた。桐生枝梨子の遺書だ。

入口のドアの鍵はかけないでおくことにした。敵は施錠してあることを予想して、マスターキーを事務所から盗みだす程度のことはするだろうが、万一入口で手こずっているところを他の者に見られでもしたら面倒だ。ここはひとつ犯人にサービスしておこう。

次に私はバッグを開くと、中から小型のビデオカメラを取り出した。八ミリビデオだから、最大二時間の録画が可能だ。電源コードをコンセントに繋いで本体を再びバッグに戻すと、レンズ部分だけを外に出し、部屋の入口付近を写せるように位置を調節した。その状態で録画スイッチを入れ、レンズを覆わないよう気をつけながら、バッグの上にタオルをかける。コード上には座布団を置いてカムフラージュした。

「これでよし」

自分を納得させる意味で呟いた。どこにもぬかりはないはずだ。

灯りをスモールライトだけにし、布団にもぐりこんだ。この程度の光で写ることは確認済みだ。

真新しい布団には、独特の香りがある。ビデオカメラのモーター音がかすかに聞こえて気になるが、セットしてあることを知らなければ、冷蔵庫の音と混同するだろう。腹をくることだ。今さらどうしようもない。

目を閉じたが、到底眠れる精神状態ではなかった。緊張で気持ちが昂ぶっている。もちろんこうでなくてはならない。眠っている場合ではないのだ。

闇の中でじっとしていると、あの時のことを思い出す。夜中に突然首を締められた時のことだ。あの瞬間、私の青春は終わったのだ。
初めてジローに会った時から始まった、とても短い青春が——。

十一

「枝梨子さんはまるでカウンセラーみたいだな」

映画館を出ると、ジローが面白そうにいった。

「あら、そうかしら。どうして？」

「だって映画の中の人間がしゃべるのを、うんうんと頷きながら聞いているんだもの。まるで相談相手になってあげてるみたいにね」

「いやだ、見てたの？」

私は年甲斐もなくはにかんだ。「あたしの癖なの。テレビドラマなんかを見てても、ついやってしまうのよ」

「へえ、その姿を想像すると何だか薄気味悪いな」

「まあ、ひどいわね」

ひとしきり笑いあった後で私は訊いた。「カウンセリングを受けたことあるの？」

「あるよ」と彼はあまり表情を変えずにいった。「孤児院でね。十五の時だったかな。あの頃は悪いことばっかりしていたからね、院長がたまりかねてカウンセラーを連れてきたんだ」

「どういう悪いことをしていたの？」

「いろいろさ。学校の備品を片っ端から質屋に持っていって、その金で競馬をやったりね。なぜかなあ、別に金が欲しかったわけじゃないんだけれど、とにかく先生たちが顔をしかめるようなことをわざとしてやろうと思ってた。絶対にまともには育ってやらないぞという、おかしな意地があってね」

「カウンセラーは何ていったの？」

「何とも。僕たちには教えないんだ。でもその後先生がやけに優しくて、気味悪いなと思った記憶がある」

「きっと、本当は良い子ですよっておっしゃったのよ」

「そうかなあ、考えられないけどなあ」とジローは頭を掻いた。

彼と歩いていると、若い娘たちがちらちらと見るのがわかった。それほど彼は目立つ存在だったのだ。その境遇とは対照的に、育ちの良さを感じさせる端整なマスクをしていたし、ファッション雑誌に出てもおかしくないぐらい足も長かった。あまり周りからじろじろ見られると、こちらの容姿に自信がないだけに身の縮む思いだったが、やはり誇らしい気分であったのは事実だ。

今までに恋人はいなかったのかと訊いたことがある。いなかったと彼は答えた。

「だって高卒だしさ、身寄りも将来性もなしじゃ女の子が寄ってこないよ」

「そういうものかしら」

「そういうものだよ。それより枝梨子さんは？　恋人、いっぱいいたんでしょ」

どう答えるべきなのか私は迷った。この歳まで恋愛経験のひとつもないと明かすことには抵抗があった。しかし私は結局正直に答えていた。

「いなかったわ。だって当然でしょう？　これぐらい何の魅力もない女、今どき珍しいわ」

すると彼は不服そうな顔で、「そんなことないよ」といった。それからにっこり笑って続けたのだった。

「でもうれしいな。じゃあ僕が一人目の恋人ということか」

「恋人……そうね」

この言葉は私を有頂天にした。

恋人。

何という甘い響き。今まで自分には縁がないと思っていた言葉。

彼のためなら死んでもいいと私は真剣に思った。彼を奪おうとするものは、たとえ誰であろうと許しはしない――。

十二

かすかな物音を聞いて目を開けた。

何という愚かなことだ。もう少しで眠ってしまうところだったのだ。やはり神経がくたびれているせいかもしれない。

私は闇の中で目をこらした。襖（ふすま）がすすっと動くのがわかった。その隙間から、淡い光が漏れてくる。

誰かが入ってきた。

手に懐中電灯を持っている。光がずいぶん弱いのは、先端をタオルか何かで覆っているからだろう。その光が近づいてくる。私は瞼を閉じた。目を覚ましていることに気づかれたら、何もかもぶちこわしだ。

耳だけで相手の気配を探ってみる。畳を踏む音が近づいてきた。心臓の鼓動が早まり、叫びだしたい衝動に駆られた。

足音が止まった。私の頭のすぐそばだ。目を開けたいが、それはできない。相手は私の顔を凝視しながら動いているに違いないからだ。

誰だろう、これは誰なんだろう。

いっそのこと、ここで起き上がって相手を襲おうかという考えが頭をもたげる。いやいや、それはできない。うまくいく確率が非常に低い。下手をすれば逆にこっちがやられてしまうし、騒ぎを聞きつけて他の者がやって来たりしたら、すべてが水の泡だ。ここはじっと耐えるしかない。

ビデオカメラは無事作動しているだろうか。今は一体何時頃だろう。テープは二時間で切れてしまう。犯人の姿が写っていなければ万事休すだ。

顔の近くの空気が、ふっと動いた。相手は封筒を手にとったらしい。再び足音。今度は遠ざかっていく。

襖が閉められる。続いてドアの開閉する気配。カチリと金具が鳴った。

私は布団をはね上げて起きた。枕元の封筒はなくなっていた。時計を見ると、午前一時十五分を示していた。布団に入ってから、ほぼ二時間だ。

あわててバッグの中のカメラを見る。カメラは止まっていた。テープが終わっているのだ。いつ止まったのだろう。タイミングとしては、止まってからさほど時間が経っていないはずだ。

暗がりの中でテレビにビデオカメラを繋ぎ、少し巻き戻してから再生ボタンを押した。もし犯人の姿が写っていなかったら——そう考えると頭が熱くなった。

画像が現われた。暗闇の中に、ぼんやりと襖だけが写し出されている。犯人の来る前だ。

私は親指の爪を噛んだ。ここに何も写っていなければ、もはや打つ手がない。ああ、何という迂闊なことを。テープが切れる頃を見計らって、その前にカセットを入れ替えるつもりだったのだが、こともあろうにうたた寝してしまうとは。

自分自身を罵倒(ばとう)していると、突然画面に変化が現われた。襖が開いたのだ。私は心の中で歓声を上げた。

誰かが入ってくる。暗い上に角度が悪くて顔までは見えない。が、宿の浴衣を着ていることと、その体形からして女性であることははっきりわかった。

カメラの前を横切る。細い腰。誰だろう、誰だろう。

一旦画面から消え、やがて女の後ろ姿が写った。だが顔は見えない。私は奥歯を噛みしめた。

襖が閉められる。ほぼ同時にテープが終わって画面が切れたが、その直前、たしかにちらりと顔がこちらを向くのがわかった。私は急いで巻き戻し、その場面で一時停止ボタンを押した。

ああ、これは――。

そうだったのか、そうだったのか。この人物があの時の犯人だったのか。

そこに写っていたのは一ケ原由香だった。

十三

午前三時まで、私は待った。

今度こそ一睡もしなかった。そして私は考え続けていたのだ。なぜ由香なのか。なぜ彼女が来たのかを。

その理由を考えるのは馬鹿げたことなのかもしれない。私はあの心中事件の偽装工作者を見つけるために、桐生枝梨子の遺書という餌を使って、相手をおびきよせようとした。その結果彼女がその罠に引っ掛かったのだから、彼女が犯人だったということなのだ。

無論動機はある。高顕氏の遺産を奪われぬようにだ。

しかしどうも腑に落ちない。あの由香に、あんな大それたことができるものだろうか。

いや、考えすぎかもしれない。人間というのは、外見だけではわからぬものだ。お嬢さん育ちで、少しばかり美しいからといって、俗っぽい欲望がないわけではない。

少し迷いながらも私は布団から抜け出した。いずれにしても、このまま夜を明かすわけにはいかない。あの遺書を盗んでいった以上、由香があの偽装心中に何らかの関係を持っていることは確実なのだ。

脅して白状させるという手がある。今ならもう眠っているだろう。手足を縛り、なぜ遺書を盗んだかを吐かせるのだ。もしかしたら犯人は別にいて、彼女に盗むよう指示したのかもしれない。その場合もかわいそうだが、由香には死んでもらうことにしよう。共犯者も主犯と同じ罰を受けねばならない、復讐を決意した時にそう決めたのだ。

手足を縛るための腰紐を二本、懐ろに入れた。さらに合鍵をバッグから取り出す。この宿のマスターキーと同じものだ。これはじつは高顕氏が持っていたものだが、何年か前に私が預かって、そのままになっていたのだった。

両手には白の手袋をはめた。指紋を残さぬためだ。警察を恐れたりはしないが、捕まる前にすべきことがたくさんある。

変装をとるべきかどうか、少し迷った。相手に素顔を見せてやりたいという気持ちはある。だが結局老婆のまま部屋を出ることにした。復讐に失敗は許されない。この変装のままならば、アクシデントが生じて計画を変更する場合でも、何とか対応できる。

館内はひっそりとしていた。照明も、必要最小限に絞ってある。静寂の中、私は回廊を進んだ。足音を殺すためスリッパは履かず、厚手の靴下をつけた。

由香がどの部屋にいるかは確認済みだ。あの火事の時と同じで、『はの参』だと夕食後にもいっていた。

長い回廊を歩き、目的の部屋の前に立った。あたりを見回して人気がないのを確認すると、私は息を止め、鍵穴にキーを差し込んだ。

カチリという音が、心臓が凍りつきそうなほど大きく聞こえた。私はもう一度周囲を見てからドアを開け、身体を室内に滑りこませた。もしものことを考えて、ドアに鍵をかけておく。

スリッパが一足、奇麗に揃えて並べてあった。私は物音をたてぬよう用心しながら、ゆっくりと襖を開いた。

室内は淡い光で包まれていた。スモールランプがついているのだ。その光の下に、ひと組の布団の敷かれているのが見えた。もっこりとした布団の盛り上がりは、そこに人がいることを示している。

耳をすませてみた。寝息が聞こえるかと思ったのだが、聞こえるのは外の風の音だけだった。眠っているのだろうか。それとも起きていて、ただじっとしているだけなのだろうか。わからぬまま、私は意を決して部屋に第一歩を踏み入れた。みしりという畳を踏む音が、心臓が縮みそうなほど大きく感じられた。

敵は布団に深くもぐりこんでいた。黒い頭が見える。私は足音をたてずに忍び寄ると、すぐ横に腰を沈めていった。

眠っているようだ、と私は思った。起きているなら、これだけ人の気配を感じて、何の反応も示さないということはない。

さて、どうするか。

まず顔を確認しておかねばならなかった。間違いないと思うが、万一ということがある。私は布団の端を持ち、ゆっくりと開いていった。

一ヶ原由香の顔がそこにあった。

しかも彼女は目を開けていたのだ。腹這いの格好だが、首をひねり、顔だけはこちらを向いていた。

この時の状態を何と表現すればいいだろう。私は彼女を見、彼女は私を見ていた。どちらも声を出さない。顔の表情も変えない。そんな空白の時間が流れた。

彼女が今にも叫び出しそうな予感を私は感じた。それをくいとめるため、私は両手で彼女の細い首を捉えていた。そして締める。目をつぶって夢中で締める。

ようすが変だと思ったのは、しばらくしてからだった。首を締められているというのに、由香は全く抵抗してこない。人形のようにじっとしたままだ。そして人形のように、彼女の首は冷たく、しかも柔らかさに欠けていた。

おそるおそる目を開けてみた。ここでまた彼女と目が合い、どきりとしたが、その衝撃は次の瞬間には別のものに変わっていた。

私はあわてて手を放した。その拍子に身体のバランスを崩し、後ろに尻もちをついた。どすんという音がした。

だがそれでも彼女の表情は変わらなかった。虚空(こくう)を見つめたままだ。私は唾を飲みこもうとしたが、口の中はからからに乾いていた。

由香は死んでいたのだ。

私が殺したのではない。私が首を締めた時、彼女はすでに死んでいた。

もしやと思って布団をはぎ、私はあっと小さな悲鳴を漏らした。

由香の腹部が血で染まっていた。脇にナイフのようなものが刺さっているのがわかる。やはり殺されたのだ。

なぜこんなことになったのか。一体何があったというのだ。

頭が混乱していた。どうすべきなのか、冷静に考えられなかった。

真っ先に思ったことは、例の遺書を回収しておかねばならないということだった。私は足をもつれさせながら立ち上がると、旅行鞄の中、洋服のポケット、洗面台などを片っ端から調べていった。ところが封筒はどこにもない。

そして私はこの時初めて気づいた。室内が荒されたようになっているのだ。私が触れる前から、何者かが探し回った形跡がある。

ということは、例の遺書はないかもしれないと私は思った。由香を殺した犯人が持ち去ったと考えるのが妥当だろう。するとやはり由香は偽装心中事件の犯人ではないのか。ではなぜ由香は遺書を盗んだのか。

あまりじっとしている余裕はなかった。考えるのは後にして、今はとにかくこの場を去らねばならない。私は素早く周囲を見渡し、自分の痕跡を残していないかどうかを確かめた。この部屋に入ったことが知れてはならない。

布団を戻そうとした時、畳に由香の血がついていることに気づいた。よく見るとそれは彼女が左手で書いたものらしかった。アルファベットの『N』の逆で、『И』というふうに見える。ダイイングメッセージだろうか。この文字に犯人の正体が暗示されているのだろうか。

その形を目に焼きつけると、私は由香の身体からナイフを抜き取り、その先端についた血を『И』の上に塗りたくった。謎の記号は忽ち判別不能になった。ナイフは布団の中に戻しておいた。

これで私だけが由香のメッセージを知ったことになる。

部屋を出ようとドアのノブに手をかけた時、外で物音がした。向かいの部屋のドアが開く音だ。向かいということは『はの壱』、直之の部屋だ。

こんな時間に直之は何をしているのだろう。

しばらく待っているとかすかに足音がし、それがやがて消えた。立ち止まってでもいるのだろうか。一体何をしているのだ。私は不安になった。うっかり外に出て、鉢合わせしたらことだ。

迷っている場合ではない。私は室内に戻ると、縁側のガラス戸を静かに開けた。下履き用の下駄が置いてあるが、使うわけにはいくまい。靴下のまま土に下りた。覚悟したよりも冷たくはない。

曇り空で月明かりはないが、常夜灯がやけに明るく感じられる。私は腰をかがめ、影を選んで小走りに移動した。どこかで誰かが見ているのではないか、そう思うと、ついつい気が急いてしまう。

途中に池があった。橋を渡るには大きく迂回しなければならないし、光に姿をさらす必要もある。ざっと見渡すと、池はところどころくびれていて、一番細そうなところは二メートルほどだ。私は度胸を決め、走り幅飛びの要領でジャンプした。思ったよりも余裕を持って飛び越すことができた。体力作りも仕事だと、私をスポーツジムに通わせてくれた高顕氏に改めて感謝した。

そのままの勢いで『ろ』の棟の脇を駆け続け、『い』の棟に着いた。念のためにガラス戸の鍵を外しておいたのが奏功した。部屋に入ると、私は布団の上にばったりと倒れた。

十四

騒ぎはまだ私が部屋にいる間に起こった。四十九日の法事に備え、喪服を着ている最中だった。無論この喪服が無駄になることを私は知っていた。

激しくドアをノックしたのは直之だった。彼も喪服を着ていたが、ネクタイは締めていなかった。

「大変なことが起こりました」と彼は目を血走らせていった。「由香ちゃんが……死んでいるんです」

「えっ……」

この瞬間の表情を、私はずっと練習してきた。目の焦点を少し外し、惚けたように口を開いたまま静止した。それからゆっくりと首を振る。「嘘でしょう」

「残念ながら嘘でも冗談でもありません。どうやら殺されたらしいのです」

「殺された？」

私は大きく瞼を開いた。「一体誰にですか」

彼は首を振った。

「それはまだわかりません。おそらく強盗によるものだと思いますが……。紀代美さんが部屋に呼びに行ったところ、返事がないしドアには鍵がかかっている。そこで庭から回って、布団の中で死んでいる由香ちゃんを見つけたのです。今、兄が警察に連絡しているところです」

「まさか、そんなこと……」

私は両手で頬を包み瞼を閉じた。そして息を整えるふりをした。「信じられませんわ」

「僕もそうです。こんなふうに話していても、とても現実のこととは思えない。でも実際に起こったことなのです。本間さん、申し訳ありませんが、すぐにロビーに来ていただけませんか。法事の準備は結構です。高顕兄さんには悪いが、とても四十九日どころじゃない」

「ええ、わかりました。すぐに伺います」

ドアを閉めると全身の力が抜けそうになった。大丈夫、うまく芝居できた。直之は何も疑っていないようすだった。

化粧を少し直してからロビーに行くと、一ヶ原一族の人間はほぼ揃っていた。女将の小林真穂の姿もある。いないのは一ヶ原紀代美だけだ。

私は一番手前のテーブルについたが、誰もこちらには見向きもしなかった。皆、沈痛な顔つきで、それぞれの思いに沈んでいるようだ。いつも陽気な加奈江さえ、今朝ばかりは隅の席でしくしく泣いている。健彦は頭を抱えていた。

「そうなのよ、とにかく大変なことになったわ。だから法事は中止。あたしたちも、いつ帰れるかわからないの。ええ、そう、まだ警察は来てないけど、すぐに来ると思うわ。はい、気をつけます」

曜子の声だけがやたらに響いている。公衆電話で話している相手は、おそらく彼女の夫だろう。本当は今日来ることになっているはずだが、来なくていいという連絡をしているらしい。

「あのう、由香さんはどういう状態で？」

他の者の耳を気にして、私は小声で直之に訊いた。

「腹をナイフで刺されていたんだそうです。ほかに血のついているところがないから、どうやら布団で寝ているところを突然襲われたらしい」

「まあ……」

私は眉を寄せ、あまりのむごさに声も出せないという演技をした。

「由香さんの部屋は、ガラス戸のひとつが施錠されていなかったのだそうです。室内も荒されているということですから、賊の仕業と見ていいでしょうね」

しばらくすると蒼介が現われた。彼もまた喪服姿だった。その後ろから、痩せた中年の巡査がついてきた。

「間もなく警察から刑事が来る。みんな、ここで待っててくれ」

蒼介が疲れきった表情でいった。

巡査が全員を見回しながら蒼介に訊いた。

「いえ、由香さんのお母さんは部屋にいます。ショックが大きかったらしく、少し休んでいるのです」

「なるほど、無理もありませんな」

巡査は頷いてから、一同にいった。「ここを離れないでください。どうしても席を立たれる場合は、私におっしゃってください。あ、もちろん手洗い程度なら御自由に行ってもらって結構ですが」

この言葉に誘発されたのか、曜子と加奈江が手洗いに立った。しかしそれ以外の者は、巡査の声など耳に入っていないようすだった。

間もなく県警から大勢の捜査員がやって来た。制服を着た警官や、私服の刑事らしき男が行ったり来たりする。一見無秩序に見えるが、彼らは彼らなりの手順に従って動いているに違いない。

若い制服警官がやって来て、全員の指紋を採取したい旨を述べた。各自の顔に緊張の色が広がる。それを緩和するように直之がいった。

「消去法だよ。由香ちゃんの部屋から出てくる指紋のうち、関係者のものを除いていけば犯人の指紋だけが残るというわけだ」

「全員お揃いですか」

効果的な一言だった。皆から安堵のため息が漏れた。

矢崎（やざき）という警部が、この場の責任者らしかった。五十歳にはならないだろう。体形がスリムな上、金縁眼鏡をかけているので第一印象は紳士風だが、レンズの奥の目はどきりとするほど鋭かった。威圧的というより、学者がモルモットに向けるような冷徹さが感じられる。強敵のようだ——私は不安を覚えた。

「昨夜何か物音を聞いた人はいませんか。あるいは人の話し声とか」

矢崎は全員に向かって問いかけた。誰も返事しない。彼は質問のしかたを変えた。「では夜中に目を覚まされた方はおられませんか。何時頃でも結構です」

それでもやはり答える者はいなかった。私は横目で直之を見て、おかしいなと思った。昨夜、たしかに彼の部屋から物音がしたのだ。するとその直之が尋ねた。

「事件が起きたのは何時頃なのでしょうか」

「詳しいことは解剖結果次第ですが、おそらく夜中の一時から三時の間だと思われます」

捜査上の秘密ということでもないのか、矢崎警部は案外あっさりと答えた。

「その時間なら、ぐっすり眠ってたわ」

曜子が独り言のようにいった。あたしも、と加奈江も母親に倣った。

「お休みになっていて当然の時間帯ですからな」

そういって警部は頷くと、小林真穂に顔を向けた。「最近、この近くで不審な人物を見かけたりはしませんでしたか。あるいはそういう噂を聞いたとか」

回廊亭の女将はちょっとためらってから、「不審というのではないのですが」と前置きして、「時々お客様でない人が、道に車を止めてじろじろと敷地内を覗きこんでいることがあります。ここの宿は造りが変わっていて雑誌に紹介されたこともあるので、話のタネにと思って見ていくのでしょうが」と述べた。

「ここ二、三日の間にも、そんなことがありましたか」

「あったかもしれません。私は気づきませんでした」

「そういう連中が、今までに何か迷惑をかけたということはありませんか」

「さあ、そんなふうにされること自体迷惑なのですが、お泊まりのお客様に危害を加えたとかいうことはなかったと思います」

「ところで昨夜ここに泊まったのは被害者の親戚の方々だけのようですが、一般客はどうされたのですか」

「いや、それはですね——」

蒼介が小林真穂に代わって、現在この宿は休業中であることを説明した。矢崎警部は他の従業員の姿がない点も、これで納得したようだ。

「ああ、そういえば」と真穂が口を開いた。「昨日の昼間、泊めてくれといって突然来られた方がいました。休業中だということを御存じなかったのですね。事情を説明して引き取っていその客の名前を彼女は聞いていなかったが、容貌や体形については詳しく記憶していた。

「その人のことを、もう少し詳しく教えてくださいただきましたけど」

矢崎警部は若い刑事に命じて、小林真穂の話を丹念にメモさせた。

「昨日は、皆さん一緒にこちらにみえたのですか」

真穂の話を聞き終えると、警部は誰にともなく尋ねた。

「本間さん以外はそうです」と蒼介が答えた。「一旦集合してから、三台の車に分かれて来ました。到着したのも殆ど同時でした」

「由香さんと同じ車だったのは？」

「僕と加奈江ちゃんです」と健彦がいった。

警部は彼の方に向き直った。

「途中何か変わったことはありませんでしたか。たとえば誰かに会ったとか、由香さんの様子がおかしかったとか」

「さあ、僕は気づかなかったけれど」

健彦は沈みきった顔を加奈江に向けた。加奈江も首を横に振った。

「別に何も変わったことはありませんでしたけど」

「そうですか」

いのでしょうか」

「それはありません」

警部は言下に否定した。「凶器と思われるナイフの柄に、由香さんの指紋がついていません。そのナイフにしても、息絶えてから抜かれた形跡があります。さらにこれは奇妙なことですが、由香さんの首には何者かに締められたと思える跡があるのです。これまた絶命した後に締められているようです」

心臓がひとつ、大きく跳ねた。私の行為の痕跡もまた、由香の身体には残されていたのだ。

「ナイフで刺して、さらに首を締める……。なぜ犯人はそこまでしたのでしょう」

直之が警部に質問した。

「わかりません。それをこちらが訊きたいのです」

私以外に答えられるものはいないはずで、また重たい雰囲気になった。由香を刺した犯人でさえ、今の警部の報告には不気味な思いをしていることだろう。

「昨夜、一番最後に由香さんと顔を合わせたのはどなたですか」

「加奈江ちゃんじゃないのか」と蒼介がいった。「ずっと一緒にいたじゃないか」

「でもお風呂を出てからは、それぞれの部屋に戻りました」と加奈江が答える。

「風呂を出たのは何時頃ですか？」

「十一時頃だったかしら」

「それ以後、由香さんと話をした人はいませんか」

警部の問いに、一旦沈黙の時間が流れ、そのあとで、「僕かもしれないな」と直之が遠慮がちにいった。「十一時半頃、彼女が部屋に来ました」

「何のために？」

「ワインの栓を開けてくれといって来たんです。白ワインと栓抜きを持って」

「ワインですか」

意外なことを聞くように、警部は戸惑った顔をした。

「ああ、そういえば」と小林真穂が発言した。「その前に厨房に見えて、ワインはまだあるかしらとお尋ねになりました。それで白ワインとグラスをお渡しいたしました」

「それと栓抜きね」

曜子が横からいう。小林真穂は頷いた。

「お開けしましょうかと申しあげたのですが、自分で開けるからとおっしゃって、栓抜きを持っていかれました」

「でも結局開けられずに、直之に頼んだわけだな」

蒼介が独り言のように呟いた。

「その時の由香さんのようすはどうでしたか」と警部は直之を見た。

「別にふだんと変わらないように見えましたが」

「どういう話をされました？」

「とりとめのないことばかりです。僕も少しワインを貰って、そのあと彼女はすぐに出ていきました」

「なるほど。何か思い出されたらおっしゃってください」

そこへもう一人刑事が来て、矢崎警部に写真のようなものを手渡した。彼はそれを一瞥すると、そばのテーブルの上に置いた。

「由香さんの腹部に刺さっていたナイフです。登山ナイフだと思われますが、どなたか見覚えのある方はおられませんか」

皆が身を乗り出した。インスタントカメラで撮影された写真には、青い柄のついたナイフが写っている。刃についた血の黒さが生々しい。

「おられませんか？」

矢崎警部が再度尋ねた。

「見たことないな」と直之。

「登山をする人間なんて、この中にはいないだろう。高顕兄貴が、昔ちょっとやったという話を聞いたことはあるが」と蒼介もいう。

「見たことなくて当然じゃないかしら。だって犯人が持ってきたものなんでしょ」

曜子が不服そうな口調でいった。内部に犯人がいる可能性を仄めかされたと思ったらしい。

「犯人が最初から凶器を用意していたとは限りませんから、念のために伺ったまでです」

関係者を刺激しては拙いと思ったか、矢崎警部はさっさと写真をしまいこんだ。

「部屋が荒されていたということですが、何か盗まれたものはあるのですか」

蒼介が質問した。

「まだ詳しいことはわかりません。お母さんに立ち会ってもらって、由香さんの荷物を点検しようと思っているのですが、まだそれができる状態ではないようなので。ただ我々が調べたかぎりでは、財布類が見当たりません」

やっぱり、というように何人かが頷いた。

「あの……」

健彦がためらいがちに口を開いた。警部は彼を見た。「何でしょう?」

「由香ちゃんは腹を刺されて殺されていたということですけど、ほかに怪我は……いや切り傷とかじゃなくて……」

彼のいいたいことがわかった。矢崎警部も合点したように頷いた。

「暴行された形跡はありません。少なくとも体内にその痕跡はないようです」

関係者を前に、こういうことをきっぱりといえるのは、さすがだった。健彦はこの言葉を聞いてほっとしたようだが、すぐにまた頭を抱えた。暴行の有無など、彼女が死んでしまった後では大した問題じゃないと気づいたらしい。

制服警官が来て、矢崎警部に何やら耳うちした。警部は蒼介にいった。

「古木さんという方が見えましたが」

全員がいっせいに顔を上げた。

「兄の顧問弁護士だった人です」と蒼介が代表して答えた。「お通し願います」

矢崎は頷き、横にいた制服警官に目くばせした。警官はロビーを出ていった。

「親戚旅行に弁護士の方が参加されるとは、一体どういうことですか」

警部の表情は少し険を帯びていた。肝心なことを話していないのではないかと責める響きがある。蒼介は恐縮しながら、遺言書公開のことを説明した。すると、この捜査責任者の目の色が変わったように思えた。長年のカンが、事件と無関係ではないと警告を発したのかもしれない。

先程の警官が、二人の人物を連れて戻ってきた。前を歩く、鳥がらのように痩せた老人の方が古木弁護士だ。私は思わず背筋を伸ばした。

「一ヶ原さん、これはまた一体どういう……」

老弁護士はきょろきょろとあたりを見回しながら蒼介のそばに行った。

「私にも全くわかりません」

蒼介は力なく答えた。「由香さんがまさかこんな目に遭ってしまうとは」

「古木さん、せっかく来ていただいて申し訳ないのですが、今日は遺言書公開どころじゃなさそうです」

直之が気の毒そうにいった。

「どうやらそのようですな」

「古木さん、とおっしゃいましたね」

横から矢崎が口を挟んだ。「ちょっとお話を伺えますか。ええと、それからあなたは」

彼は古木弁護士の後ろに立っている人物に目を向けた。

「鯵沢弘美といいます。古木先生の助手をさせていただいております」

はきはきした口調で答える。整った顔、若々しい肌。隣りで加奈江が、「奇麗な人」と呟いた。

「なるほど、ではお二人一緒で結構です。こちらへどうぞ」

矢崎警部は、古木弁護士と鯵沢弘美を連れて、食堂の方へ歩いていった。

彼らがいなくなると、先程までよりもさらに重い沈黙に包まれた。古木たちだけが別室に連れていかれたということが、皆を暗い気分にさせているのだ。遺産相続に関する遺言書公開の前夜、関係者の一人が殺された――これを偶然と済ませてしまうほど、矢崎は鈍感な人間ではないはずだ。

沈黙に耐えかねたように、小林真穂が立ち上がった。

「あの、皆さん御食事は」

こんな時でも客の腹具合が気になるらしい。しかし誰も答えず、浮いた形になってしまったのは気の毒だった。やがて直之が、「僕は結構です」と答えた。「後で何か飲み物をもらうかもしれないけれど、今は何も喉を通りそうにないから」

「私もいい」と蒼介。他のものは、声を発することすらしなかった。仕方なさそうに小林真穂は座り直した。

私は皆のようすを窺った。

一体誰なのだろう？

ひとり一人について、由香殺しの可能性を検討してみた。一ヶ原紀代美は実の母親であるから、まず除外して問題ないだろう。由香を愛していた健彦も消去してよさそうだが、男女の間には何が起こるかわからない。蒼介や曜子はどうだろう。特に仲の良い親戚ではない。むしろ底に冷たいものを感じるほどだから、それなりの動機があれば殺すこともあるかもしれない。直之も同様だ。加奈江はどうか。小林真穂はどうか。脳天気で単純な娘に見えるが、じつは深い考えを持っていたりするのだろうか。単に血の繋がりがあるというだけで莫大な遺産を手にする由香に、嫉妬を感じることはないか。しかし遺産を受けるのは由香だけではない。

重要なのは、由香が例の遺書を盗んだということだった。そのことと殺人事件と無関係ではないはずだ。今回の事件は、単なる強盗の仕業などではない。

考えられるのは、由香を殺した犯人もまた、例の遺書を盗もうと狙っていたということだ。ところが先に由香が盗んでいくのを目撃したのであわてて彼女を殺し、遺書を奪ったのではないだろうか。

私は推理する。その犯人こそが、私と里中二郎を焼こうとした人間ではないか。となると警察よりも先にその人物を見つけだし、復讐を遂げなければならない。

そしてその人物は、間違いなくこの中にいるのだ。

十五

古木弁護士たちが事情聴取を受けている時間は、実際よりもずいぶんと長く感じられた。果たして矢崎警部はどういうことを訊いているのか。そしてどのように今回の事件と関連づけようとしているのか。

重く息苦しい空気の中で、呼吸するのも憚られるような沈黙が続いていた。時折捜査員が行き来するが、彼らも固く口を閉ざしたままだ。

私は由香が書き残した『И』について考えていた。これはロシア語で使う文字だが、まさか由香がそのつもりで使用したとは思えない。

単純に考えると、『N』の書き違いか。Nということなら、NAOYUKI――直之ということになる。しかしいくら死の直前とはいえ、アルファベットを逆に書くことなどあまり考えられないのではないか。ただ気になるのは、昨夜たしかに直之の部屋のドアが開いたということだ。あれを隠しているということは、何かあるのではないか。

『И』についてもう少し考えてみる。ほかの可能性はないか。横にしてみたらどうか。『Z』

にしても逆だ。数字の『2』でもだめ。
だが『S』なら読めないこともない。SとなるとSOSUKE――蒼介ということか。
ほかにないか。ギリシャ数字の『VI』――6のことだ。しかしなぜギリシャ数字を使う必要がある？

そんなことを考えている時、突然獣のような声が回廊にこだました。私は声の聞こえたほうに目をやった。紀代美が踊るような格好でロビーに入ってくるところだった。目の周りの化粧は涙で崩れ落ち、髪は嵐に遭ったように乱れていた。

誰もが皆、かけるべき言葉に迷っているようだった。注目の中、紀代美は曜子のところへ駆け寄った。

「返してよ」と紀代美は泣きじゃくりながらいった。「由香を返して。あなたが殺したんでしょ。わかってるんだから」

「何ですって」

曜子が眉を吊り上げた。「どうしてあたしが由香さんを殺すのよ」

「とぼけたってだめよ。わかってるんだから。あなた、由香に遺産をとられるのが嫌なものだから殺したんでしょ」

「ちょっと紀代美さん」

曜子は声を尖らせて椅子から跳ね起きた。その前に直之が立ちはだかった。

「落ち着けよ、姉さん」

「どいてよ。こんなことといわれて落ち着いていられるものですか」

「由香さんが死んで、気が動転しているんだ。自分でも何をいってるのか、わからないんだよ」

「わかってるわよ」

紀代美は喉が嗄れんばかりに叫んだ。「その女が殺したんだ。金欲しさに殺したんだ。自分とこの不動産屋が借金をいっぱい抱えてるものだから、少しでも相続分を増やそうと思って由香を……」

「黙りなさいっ」

蒼介が後ろからとりおさえたが、紀代美はまだもがいている。すると加奈江がすっと立ち上がって彼女に近づくと、間髪を置かずにその頬をぱんと叩いた。

「何するのよお」

紀代美はますます激しく暴れた。その頃になってようやく矢崎警部や部下の刑事がやって来た。

「何をしているんですか。やめなさい」

警部は怒鳴り、刑事たちは暴れる紀代美をほかの部屋に連れていった。彼女がいなくなると、曜子も多少落ち着きを取り戻して椅子に座った。が、まだ顔は紅潮している。

「一体どういうことですか」

矢崎警部は蒼介に尋ねた。蒼介は少々迷っていたようすだが、不承不承に今のやりとりを解説した。古木弁護士からすでに遺産相続のことを聞いているからか、警部はさほど驚いたふうでもなかった。

「なるほど。遺産が多ければ、それなりに揉め事も多いということですな」

「いや揉め事というほどでは……」

蒼介は口ごもった。

「別に揉めてなんかいないわ。あの人が勝手に逆上しただけよ」

まだ興奮が冷めきっていないのか、曜子の声は少し震えていた。「あたしがそんなことをするわけないのに」

まあまあと矢崎警部はなだめるような手つきをすると、「それよりも、皆さんにお願いがあるのですがね」といった。「今から、お一人ずつお話を伺いたいのです」

ええ、という不満の声が一同から漏れた。それが聞こえないかのように警部は続けた。「場合によっては、かなり立ち入った質問をさせていただくかもしれません。が、事件解決のために何卒御協力願います。また終わるまでに、相当時間を要するだろうと思われます。皆さんの中で、至急この宿を出なければならない方はおられますか」

まわりを見たが、誰も手を上げなかった。

「おられませんね。結構。では始めます。事情聴取が終わった後も、御自分の部屋にはお戻りにならず、このロビーで待機していてください。どうしても部屋に行く用のある方は、どの捜査員でも構いませんから、その旨おっしゃってください」

「ちょっと待ってください。それには一体どういう意味があるのですか」

たまりかねたように直之がいった。「何かお訊きになりたいことがあるなら、今までのようにここで質問されたらいいんじゃないですか。その方が思い違いとかが少なくなるし、何よりも早く済む」

「それはそうなんですが、皆の前では話しにくいこともあるかもしれませんからね」

「しかし――」

「直之さん」と矢崎警部はいった。「とにかく捜査については我々の指示に従ってください。お願いします」

言葉は穏やかだが、その口調には有無をいわせぬ響きがある。緊迫感というべきかもしれない。直之もこれ以上は食い下がらなかった。

警部が個別の質問を決断した背景には、古木弁護士からの情報があるに違いなかった。しかも先程の騒ぎだ。莫大な遺産相続に絡んだ内部の人間の犯行という構図を、密かに描き始めているのかもしれない。

「古木さんたちは警察からどんなことを質問されましたか」

弁護士たちが戻ってきたので、事情聴取の準備を待つ間に蒼介が訊いた。

「まず昨夜から今朝にかけての行動を、それとなく訊かれました。要するにアリバイ確認でしょうな」

古木弁護士は目を細めていった。こういう場合には誰もかれもが犯人扱いされることを知っている顔だ。

「幸い、アリバイは証明できました。昨夜は遅くまで事務所で仕事をしておりましたからな。他の所員に訊けば、我々二人が深夜この宿に来ることは不可能だったとわかるはずです」

とりあえず古木弁護士と鯵沢弘美は、由香殺しの犯人ではないということだ。

「他にはどのようなことを」

そういうわかりきったことは聞きたくないという顔で、蒼介は催促した。

「主に相続についてのことでしたな」と老弁護士は答えた。「遺言書の中身はもちろんわからないわけですが、順当に分配されるとなれば各自の取り分はどうなるか、というようなことです」

「それで何とお答えになったのですか」

「単純に法律に従って分けるとなれば、由香さんと蒼介さんがそれぞれ全体の三分の一ずつ、曜子さんと直之さんが六分の一ずつということになる、というようなことを説明しました」

「由香さんのお父さんと蒼介さんは亡くなった高顕氏と両親共に同じですが、曜子さんと直之さんはお母さんが違うので、相続分は半分になるわけです」

鯵沢弘美が横から補足したが、すでに承知しているらしく、曜子や直之に動揺の色はない。代わりに加奈江が、「あら、由香さんが相続人になっているの？　紀代美伯母さんじゃなくて」と疑問を口にした。

「由香さんのお父さんが亡くなっているので、代襲相続ということになります。これは配偶者には認められないのです」

弘美が淀みなく答えた。

「ということは、今回由香さんが死んだことで、伯母さんは遺産を相続できなくなっちゃったわけ？」

「法定相続分からすると、そういうことになります。したがって蒼介さんが全体の二分の一、曜子さんと直之さんが四分の一ずつを相続されるわけです」

「まあ」

加奈江は口を大きく開き、他の者の表情を窺うように黒目をくるくると動かした。

「そんなことを質問したということは、警部さんはあたしたちを疑っているということかしら」

曜子が不快さを表に出していった。「由香さんが死んで得をするのは誰か、そんなふうに考えているに決まってるわ。そうしてそれは身内ということ」

「まさか」と直之がいった。「相続分のわずかの差のために人を殺したりはしない。その程度のことは警察だってわかっているだろう」

「どうだろうかね。何しろ分母がでかいからな」

由香の死により法定相続分が三分の一から二分の一に昇格した蒼介だが、今は曇った顔でいった。鬱然(うつぜん)とした空気が一同の間に流れた。

やがてひとり一人順番に名前を呼ばれ、尋問室となった事務所に入っていくことになった。まずは蒼介、その次が曜子だ。紀代美はまだ話を聞ける状態ではないらしい。

警部が初めに断わったとおり、事情聴取はかなり長い時間をかけて行なわれた。蒼介も曜子も、三十分近く質問責めに遭っていたらしい。

「次はあなたですって」

戻ってきた曜子が直之に声をかけた。やれやれといった顔で彼は立ち上がり、ポケットからハンカチを取り出した。その時黒いネクタイが落ちた。

「落ちましたよ」

私が拾い上げると、ネクタイには真珠のタイタックがついていた。かなり新しいものらしく、プラチナの台に傷が見当たらなかった。

「あらあなた、ネクタイピンは嫌いだったくせに」

目ざとく見つけた曜子が尋ねた。直之はネクタイごとポケットに突っ込むと、「貰いものだよ」といってロビーを出ていった。

「ママ、どんなことを訊かれた？」

加奈江が心配そうに曜子に尋ねた。

「特にどうということはないわ。何度も同じことを訊かれるだけ。うんざりするくらい」

実際げんなりした顔で曜子は席についた。「由香さんに変わったようすはなかったかとか、昨夜はどんな話をしたかだとか。ああ、そう。本間さんがお持ちになった例の遺書のことも訊かれました」

彼女がこちらを見ていったので、私は驚いた。

「もうそんなことまで警部さんは御存じなんですか」

「ええ、どうやら兄が漏らしたらしいです。おかげであたしが妙な推理をしたことまで知られて、変な目で見られました」

私は舌打ちしたい気分で蒼介を見た。どうせ巧みに誘導されたのだろう。

ふと横を見ると、古木弁護士が弱り果てた顔で煙草を吸っていた。彼もまさかこんなことになるとは、夢にも思っていなかっただろう。鯵沢弘美は彼の隣りで蒼ざめている。

古木弁護士は私の視線に気づくと、吸い殻を灰皿の中でつぶしながら首を振った。

「困ったことになりましたな。よりによって、一ヶ原さんの四十九日にこんなことが起きるとは」

「遺言書は今もお持ちですか」

「もちろん持っております」

古木弁護士は膝の上に置いた黒鞄を二度叩いた。

「よく没収されませんでしたわね」

私がいうと、彼は声を出さずに笑った。

「遺言書の中身を知りたいようすでしたが、断固拒否しました。高顕氏の遺志にそむくことはできません。しかし事件が長びけば、あの警部もおとなしくはしていないでしょう。強引に見せろといいだすかもしれません」

痰がからんだのか、老弁護士は咳をひとつした。

「それより先程加奈江さんから聞いたのですが、桐生さんの遺書の話は驚きましたな。私も初耳だったものですから」

「何だか厄介なものを持ってきたみたいで」

「いやいや、気になさる必要はありません。それはともかく――」

古木はしげしげと私の顔を見つめた。私は嫌な予感がして下を向いた。果たして彼はいった。

「本間さんとお会いするのは、たしかこれが初めてでしたな。しかしどういうわけか、ちっとも初めてという気がしないのですよ。失礼ですが、どこかで顔を合わせましたかな」

「一ヶ原さんの葬儀に参列させていただきましたが」

「そうですか、じゃあその時にお見受けしたのかな」

古木はぼんやりした目をしてから、私を見て苦笑した。「記憶が曖昧でどうもいけません。やはり歳のせいですかな」

「お互いさまですわ」

私も追従して頬を緩めたが、その向こうにいる鯵沢弘美と目が合って、どきりとした。さりげなくしているが、じつは私のことを観察している目だ。古木弁護士も嫌なことをいいだすし、必要な時以外は、この二人には近づかないようにしよう。

事情聴取が次々と済んで行く。直之の次は健彦で、その次が加奈江だった。そして加奈江は不機嫌な顔で戻ってくると、「次はおばさまですって」と私を見た。

十六

事務所に行くと、矢崎警部は椅子の上で腕組みをし、目を閉じていた。警部の横では若い刑事がメモを取っている。その刑事の指示で椅子に座ると、警部も瞼を開いた。

「お疲れのところを申し訳ありません」と彼はまず謝った。「なるべく早く終わりますから、少しの間、失礼をお許しください」

こちらを目上の人間と見ているのだろう。その言葉遣いは、なかなか感じがよかった。

私はまず住所氏名を述べ、続いて今回この宿にやって来た理由を説明した。話の都合上、一ヶ原高顕氏と本間重太郎氏の関係にも言及した。警部も高顕氏の遺言書の存在についてはすでに承知しているはずで、これらの点については細かく質問してこなかった。

「一ヶ原由香さんとは、今回初めてお会いになったのですか」

「そうです。昨夜紹介していただきました」

「しかし高顕氏の葬儀には参列なさったのでしょう?」

「はい。でもあの時は参列者が多く、親戚の方全員に御挨拶している余裕は、とてもなかったのです」

「なるほど」

警部は頷いているが、その目つきからすると、この老婆を疑う必要はないと即断したわけでもなさそうだった。私と、つまり本間菊代と由香が初対面であったかどうかは、本人にしかわからないことだからだ。

次に警部は、昨夜の皆のようす、特に由香について何か感じたことはなかったかと質問してきた。

「率直な御意見を聞かせていただきたいのです」と彼は口元だけ緩めていった。「あなたは一ヶ原家とは直接繫がりのない方ですから、客観的な意見をお持ちだと思うのですが」

私は背を曲げ、首を捻じった。

「さあ、どうだったでございましょうかねえ。別段、変わったようすも見受けられなかったと思うのですが」

「些細なことでも結構です。何かありませんか」

矢崎警部は鋭い目を光らせて私の顔を覗きこんできた。こちらが少しでも不自然な反応を見せれば、途端に食いついてきそうな気配だった。私は薄く笑いながら首を振った。

「そういわれましても、咄嗟には何も……」

「そうですか。では何か思い出すことがあれば、すぐにおっしゃってください。ところで由香さんとは何か話をされましたか」

「少ししました」

「どんな話でしたか」

「ええと、世間話のようなことが殆どです。あまりよく覚えていないのですけれど」

私は警部の顔をちらりと見た。彼が私に何をいわせようとしているか、手にとるようにわかった。

しゃべりすぎもよくないが、隠しすぎは変に疑惑を招くことになる。私は観念して、心中事件について彼女と話したことを打ち明けた。

「例の火事ですね。私もよく存じています。で、なぜそんな話になったのですか」

矢崎警部は白々しく訊いてきた。それで私は仕方なく遺書のことを話した。すでに承知しているわけだから、警部は格別驚いたようすでもない。それでも口では初耳のような言い方をした。

「するとその遺書から、心中事件は偽装されたものではないかという話が出てきたわけですね」

「はい。でも私は話がそんなふうに発展するとは思いませんでした」

「でしょうな。ところで、その遺書を今お持ちですか」

「部屋に置いてあります。あの、お持ちしましょうか」

「そう願えればありがたいですな。高野(たかの)――」

警部は隣りにいる若い刑事に声をかけた。「本間さんと一緒に行って、その封筒をお借りしてきてくれ」

高野と呼ばれた刑事は快活に返事して立ち上がった。

私たちは長い回廊を通って、『いの壱』の部屋に向かった。矢崎が高野を同行させたのは、万一遺書を隠されたりしては拙(まず)いと思ったからだろう。今度の事件と例の遺書の繋がりを、警部はかなり重視しているはずだった。

部屋の前に着くと、高野刑事が右手を差し出した。鍵を貸せということらしい。私が黙って渡すと、彼はやや緊張した顔で鍵穴に差し込んだ。

私が部屋に入ると、すぐに彼も後に続いてきた。その方がありがたい。私に妙な小細工をする余裕がなかったことを、彼に証明してもらわねばならないからだ。

「問題の封筒はどこですか」

部屋の入口に立って、高野刑事は訊いた。

「ええと、たしかここに置いたはずなんですけど」

私はまずテーブルの上を調べた。そしてそこにないことを確かめると、座りこんで首を傾げるふりをした。

「どうしたんですか」

高野刑事が苛立(いらだ)った声でいう。これだから年寄りは困ると思っているのだろう。私はわざとスローモーな動作で、バッグの中を探った。

「おかしいわねえ」

「ないのですか」

高野も私のバッグを覗きこんできた。ビデオカメラを見たようだが、それについては特に関心を持ったようすもなかった。近頃では旅行に持参する人間が多いからだろう。仮にテープを見られても大丈夫だった。昨日部屋に戻ってから、すべて消してしまってあるからだ。

「ここにもない……ええと、どこへやったのかしら」

再び座りこみ、考えこむふりをした。高野は洗面台を見たり、屑籠の中を調べたりしている。

「あっ」と私は頃合を見計らって声を出した。「ゆうべ寝る前に、枕元に置いたんだわ」

「枕元」

いってから高野は布団の入っている押し入れを開けた。私は首を振った。

「ありませんでした。あったなら、布団を畳む時に気づいたはずです」

「ちょっと失礼」

高野は受話器を摑み、0番のボタンを押した。すぐに矢崎が出たらしい。高野は事情を伝えた。声が少し上ずっている。

電話を切ると、彼は私を見た。

「今すぐ警部がここに来ます。もう少しお待ちになってください」

「ええ、それは結構ですけど……あの封筒、一体どこにいってしまったんでしょう」

高野は横を向いた。俺に訊かれても知るものかという顔をしている。こういう刑事ばかりなら、料理しやすいのだが。

やがてどかどかと勢いよく歩く足音が聞こえてきた。ノックもなくドアが開けられる。矢崎が手袋をはめながら上がりこんできた。

「不用意にものを動かしてないだろうな」

矢崎は高野に訊いた。

「殆ど触ってません。本間さんが御自分のバッグをお調べになった程度です」

「よし」

矢崎は室内を見回してから、私の前に立った。「遺書がなくなっているそうですね」

「申し訳ございません」

私が謝ると、警部は手を振った。

「あなたに責任はありません。それより、今一度懐中を確かめていただけませんか。うっかりということがありますから」

「ああ、はい」

懐ろを探る格好をしながら、やはりこの警部は落ち着いていると思った。

着姿にでもさせられたら、私の正体など忽ち見抜かれてしまう。

　だが矢崎警部も、この時点ではさすがにそれほど強硬なことはいわなかった。

「昨夜寝る前には、たしかに枕元にあったのですか」

「ございました」と私は答えた。「朝、持っていくのを忘れぬように、置いたのです」

「それがなくなっているわけか」

　彼は不精髭の伸びた顎をこすった。「おやすみになられたのは何時頃ですか」

「十一時過ぎだったと思います」

「夜中に目を覚まされたことは？」

「朝まで目を覚ましませんでした」

「では朝何時に目が覚めましたか」

　機関銃のように質問を続けてくる。これがこの刑事のやり方なのかもしれない。私はひと呼吸置いてから、「六時頃です」と答えた。本当は殆ど一睡もしていない。

「朝起きた時、何か室内のようすが変わっているようにはお感じになりませんでしたか。たとえば物の配置が違っていたとか」

「ありませんか」

「はい……」

　もしかしたら身体検査をするといい出すのではないかと不安になった。婦人警官を使って下

「さあ、気づきませんでした」と私は首を振った。

「さっき来た時、この部屋に鍵はかかっていたのか」

これは高野に対する質問だ。かかっていました、と若い刑事は答えた。矢崎は再びこちらを向いた。

「昨夜はどうでしたか。鍵をおかけになりましたか」

「ええと、かけたように思いますが……もしかしたら忘れたかも」

「今朝起きた時はどうでしたか。かかっていましたか」

私はしばらく首をひねるポーズをとり、最後に、「すみません、どうだったか思い出せません」と残念そうに答えた。矢崎は仕方がないというように頷くと、別の刑事に何事か耳打ちした。マスターキーという言葉が聞こえた。その刑事は短く返事すると、部屋を出ていった。

「本間さん」と矢崎は改まった口調でいった。「今からこの部屋を調べさせていただきますが、よろしいですね」

「それは構いませんが、あの、私はどこにいればよろしいでしょう?」

「とりあえずロビーでお待ちください。また後で二、三お尋ねすることになると思います。

――高野、本間さんをロビーにお連れしろ」

若い刑事に先導されてロビーに戻ると、全員先程までと同じ場所に座っていた。やはり紀代美だけがいない。

「何かあったのですか」

私が腰を下ろすと、直之が尋ねてきた。高野は知らぬ顔で回廊を戻っていく。口止めされたわけではないし、いずれわかることだと思い、遺書がなくなっていることを告げた。直之だけでなく、全員がこちらを見た。

「盗まれたのかしら」と曜子がいう。

「わかりません。そうかもしれません。今、私の部屋を刑事さんたちが調べておられますから」

「誰が、なぜ盗んだんだ」

蒼介が誰にともなく訊く。

「由香さんを殺した強盗が、本間さんの部屋にも忍びこんだのかしら」

加奈江が怯えた顔でいった。

「まさか。強盗が遺書なんかを盗んでも仕方がないだろう」

健彦が馬鹿にした口調でいう。加奈江はむっとした。

「じゃあ由香さんの事件とは関係ないっていうの？　そんな偶然ってあるかしら。あたしは絶対に何か関係があると思うわ」

だが誰も相槌は打たない。当然だった。遺書だけを盗む必要のある人間がいるとすれば、それは内部の者ということになってしまうからだ。

話が続かなくなり、しばし全員が黙りこんだ。下手に声を出せない雰囲気がある。

「まあ」と蒼介が口を開いた。「少なくとも警察は関連があるとみるだろうな。昨夜曜子が冗談半分にいった、偽装心中の可能性についても真剣に考え始めるかもしれん」

「あたしが悪いというの？」

途端に曜子が目の端をつりあげた。

「そうはいってない。桐生君の遺書が盗まれたとなると、どうせ警察も同じようなことを考えるだろうさ」

「心中を装って桐生さんたちを殺した犯人が、今度は由香ちゃんを殺したと考えるわけかい？」

馬鹿なというように直之は頭を振った。「両者の間に、共通点は何もないじゃないか。この宿で起きた事件だという以外はね」

「それは違う。動機が一致しているわ」

曜子がいい放った。

「動機？　そうかな」

「そうよ。遺産目当てという動機でね。さっき古木先生がおっしゃったように、由香さんが死ねば、ほかの人間の相続分は確実に増えるわ。それから桐生さんについてはあなたが教えてくれたじゃない。兄さんは彼女との結婚を考えていたんでしょ。もしそんなことになれば、財産の大半が彼女のものになってしまうわ。それを恐れた犯人が、心中に見せかけて殺すことを思いついたというわけよ」

警察がどう考えるかというより、すでに自分が抱いていた考えを述べたという感じの、曜子の口ぶりだった。

「その動機なら、犯人は内部の者ということになってしまう」

蒼介は苦々しい顔をしたあと、「兄貴が桐生君との結婚を考えていたなんてこと、誰か警部に話したのか」と周りの者に尋ねた。加奈江が小さく手を上げた。

「あたし、しゃべっちゃったわ。いけなかったかしら」

「いや、かまわないよ」

直之は気落ちした顔のままいった。「どうせわかることだ」

「警察がどう考えるかはわからんが、そんな動機で人殺しをするものか」

蒼介は吐き捨てるようにいった。「由香さんの件はともかく、桐生君については、仮に兄貴が結婚を申し込んでも受けるかどうかはわからないじゃないか。彼女には恋人がいたわけだし」

「あら、それは心中事件が起きて初めてわかったことでしょ。犯人の知らないことだわ。それにもう一歩考えを進めてみると――」

曜子は今まで以上に声を落とした。「あの里中という若い男が本当に桐生さんの恋人かどうかはわからないわ。単なる自殺じゃ怪しまれると思って、犯人がどこからか適当に連れてきたのかもしれない。もう少し飛躍してみると、じつはあの男を殺す理由もあったとも考えられるわ」

彼女の最後の台詞は、私を少しどきりとさせた。

「まさか、それは飛躍しすぎだよ。もしそうなら、桐生さんがいうはずだ。あんな男は知らないとね」

直之は強い口調で反論した。

「だからそのことも遺書の中に書いてあるのかもしれないわ。それに解(げ)せないことがあるの。あの里中とかいう男性は、若くて、写真で見たかぎりではなかなかの美男子だったわ。それに比べて桐生さんは、こういっては失礼だけど、女性としての魅力には乏しい人だったわよね。年齢差のこともあるし、あの二人が恋人同士だったなんてことは、ちょっとありえないように思うの」

よく動く曜子の口を、私は赤い生き物を見るような思いで眺めた。容姿について同性からけなされると、男性の場合とはまた違った不快感がある。

直之はため息をついた。

「姉さんは内部に犯人がいると思いたいのかい」

「そうじゃないわ。客観的に推理しているだけよ」

「考えすぎだよ。とにかく今は由香さん殺しの方が重要だ。僕としては賊の仕業だと信じている。遺書がなくなった件とは関係ない」

「あたしだって、身内を疑いたくなんかないわ」

険悪な空気が満ち溢れ、お互いに口をつぐんだ。他の者も発言しにくい雰囲気だ。

「何だか、余計なものを持ちこんでしまったようですわねえ」

私は遠慮がちに口を開いた。「昨夜あっさりと開けてしまえば、こんなことにならずにすんだのでしょうが……」

「いや、本間さんが気になさることはありません」

直之があわてたようすでいった。「当然のことをされただけです」

「ええ、でも……」

私は皆の顔を見回した。誰もが目をそらせるようにうつむいた。彼らにとっては部外者の私を、今は明らかに疎外する空気があった。

それぞれが自分の思いに沈んでいる。私は先程の曜子の言葉を反芻していた。心中事件が仕組まれたものなら、犯人は私だけでなく、里中二郎をも殺す目的があったのではないかという説だ。

それは正しいのだ。

犯人は私を殺すことだけが目的だったのではない、むしろ里中二郎を消す必要があったのだ。

なぜなら仮に私が高顕氏の妻になったとしても、遺産の四分の三を相続するだけだが、二郎が生きていれば、すべてが彼のものになってしまうからだ。

里中二郎——彼は一ヶ原高顕氏の本当の子供だったのだ。

十七

高顕氏が最初に遺言書のことを口にしてから二か月が経過した頃、彼は病院に私を呼び、思いもかけぬ仕事を命じた。

その仕事とは、自分の子供を探してほしいというものだった。

私は咄嗟には意味が飲みこめず、冗談をいっているのかと思った。

「申し訳ないが、冗談ではなく本気なのだ」

そういって高顕氏は、ばつが悪そうに下唇を噛んだ。彼がそういった表情を見せるのは珍しいことで、逆にこちらが戸惑った。

「あの、亡き奥様との間には……」

私がいい終わる前に高顕氏は首を振り始めていた。

「無論、あれとの間にできた子供ではない。二十数年前だから、まだ女房が生きていた時だが、ある女と深い関係になったことがある。その女がどうやら私の子供を生んでいたようなんだ」

高顕氏の話によると、相手の女性は克子(かつこ)という名で、某劇団所属の舞台女優だったらしい。

当時彼が観劇を趣味としていて、時々その劇団に顔を出していたことから親しくなったという。

二人の関係が途切れたのは、克子が結婚することになったからだった。彼女にプロポーズした男というのは、その頃少し名前の売れた楽団のメンバーで、演奏しながら各地をまわるという生活をしていた。彼女はかなり迷ったようだが、役者として目が出る見込みはないし、高顕氏との関係を続けていても良いことはないと考え、その男について行くことにしたのだ。高顕氏は最後に彼女に会った時、餞別としてある程度の金を差し出した。ところが彼女は受け取らなかった。

「そんな仲ではなかったはずだ、というんだ。手切れ金のいる関係ではなかったとね。第一、関係を断ち切る原因はこちらにあるのだから、金を出すなら自分の方だという。それで格好の悪い話だが、出した金を引っ込める羽目になった。そういう、妙に潔癖なところのある女だった」

その時の情景を思い浮かべたのか、高顕氏は少し照れたように目を細めた。

克子とは、それから会うことがなかった。夫の楽団の名前も、いつの間にか聞かなくなっていた。

二十年目に、一通の手紙が高顕氏のもとに届いた。差出人は全く知らない人物だったが、中の手紙を読んで彼は驚いた。そこには克子が病死したことと、遺品の中に「一ヶ原高顕様へ」と書かれた封筒があるので、受け取りに来てほしいということが、したためられていた。

この頃すでに私は彼の秘書をしていたはずだが、この手紙のことは全く知らない。そして彼がこっそりと出かけて行ったことも知らなかった。

かつての舞台女優は、台所のほかには一間しかないさびれたアパートで息を引き取っていた。手紙の差出人はアパートの女管理人で、克子とは比較的親しくしていたという。遺体をひっそりと茶毘に付した後、荷物の整理をしていて例の封筒を見つけたらしい。表に住所も書いてあったので直接郵送するという手もあったが、やけに分厚い封筒で、いわくありそうに思えたから、とりあえず手紙で知らせることにしたそうだ。だが女管理人は一ヶ原という変わった名字を聞いても、彼が某一流企業の創始者だとは知らなかった。

高顯氏は自宅に戻ってから封筒を開いた。中から出てきたのは二十数枚に及ぶ便箋で、そこには高顯氏と別れてから克子がどのような人生を歩んだかが、細かい字でびっしりと書きこまれていた。そしてその内容は高顯氏にとって衝撃的なものだった。特に彼を苦しませたのが子供の話だった。

バンドマンと結婚した彼女は、すぐに妊娠した。この時点で彼女に迷いはない。夫の子供だと信じていたのだ。だが手記によるとその自信に大した根拠はなく、夫の子供であってくれなくては困るという意識が、高顯氏の子供かもしれないという不安を封じこめていたようだ。

それから何か月かが経ち、いよいよ臨月を迎えた時、思いもかけないことが起こった。夫が他の女と駆け落ちしたのだ。克子はその時になって、夫の楽団が赤字続きで解散寸前であるこ受けにほうりこんでいった。

とを知った。彼は金目のものをすべて持ち出し、代わりに自分の欄だけ記入した離婚届を郵便受けにほうりこんでいった。

おそらくショックの影響だろう、彼女は予定日よりも二十日近く早く出産した。男の子だった。周りの人間は祝福してくれたが、彼女の心は憂鬱だった。夫が家出したことは、まだ人には話していない。楽団を辞めたので、遠いところへ出稼ぎに行っているのだと説明してあったのだ。

やがて彼女は子供と共に退院したが、将来の見通しは全く立たなかった。質屋通いをするにも質種（しちぐさ）がなくてはどうにもならず、やむなく彼女は酒場で働くことにした。

半年ほどして、店の客と親しくなった。印刷工場を経営する男だった。男は克子が再婚であることを承知した上で求婚してきた。彼女としても頼れる人間が欲しく、すぐにも承諾したい気持ちだったが、問題がひとつある。男は彼女に子供がいることを知らず、もし知ったなら求婚を撤回しそうな気配だったのだ。

思い悩んだ末、克子は赤ん坊を捨てる決意をした。このままでは母子共倒れになってしまう、それよりもきちんとした施設で育ててもらった方が、この子のためにもなるはずだ——勝手な言い分と内心わかっていながら、そんな理屈をつけて自分自身を納得させた。とにかく彼女は疲れ果てていたのだ。

一時間ほど電車に乗ったところに、その地区では有名な孤児院——現在は児童福祉施設という——があった。克子は始発電車に乗ってそこまで行くと、門の前に赤ん坊を置いた。赤ん坊は気持ち良さそうに眠っていた。初めは、ママを許してねと呟き、手編みの白い毛糸の帽子をかぶせると、急いでその場を離れた。もし立ち止まったら、無事拾ってもらえるまで物陰で見ているつもりだったが、足が止まらなかった。もし立ち止まったら、二度と動けなくなりそうだったからだ。

「不思議なことだが」と高顕氏はいった。「克子は私に助けを乞うことは、全く考えなかったようなんだ。赤ん坊が例のバンドマンの子供だと思いこんでいたからだろうな。それでも悪賢い女なら、あんたの子供だから責任を取れと押しかけてきたりもしたのだろうが、あの女にはそういう悪知恵はなかったようだ」

それだけではあるまいと私は思った。高顕氏と関係していた頃が、克子にとって最高の時代だったのだ。無名とはいえ舞台女優特有の華やかさを身につけてもいただろう。そういう相手の前には、たとえ何があっても落ちぶれた姿で現われたくはないものだ。

手記によると克子はその後、赤ん坊とは会っていない。孤児院を覗きに行ったことはあるが、果たして無事拾ってもらえたのかどうかも定かではないということだった。

それからの二十年間については、彼女はあまり詳しく記していない。どうやら印刷工場を経営していた男とも離婚し、孤独で貧しい日々を送ることになったようだ。

そんな時、二十年前に別れたバンドマンと偶然再会した。男は長距離トラックの運転手をしていた。克子は男を激しく罵(のの)しったが、相手も負けてはいなかった。他の男の子供を孕(はら)んでおいて、大きな顔をするなというのだ。彼女が否定すると、男は続けていった。自分もあの時は知らなかったが、後に病院で子供を作れない身体だといわれた、だから自分の子であるはずがないのだ、と。

克子は信じられなかったが、男の言葉に嘘はないようだった。事実その時男には妻がいるだけで、子供は一人もいなかった。

この時初めて、彼女は子供の父親が誰だったかを知ったのだ。

赤ん坊を捨てたことに対して、彼女は改めて後悔しなければならなくなった。もしあの時わかっていたなら、高顕氏のところへ行き、子供だけでも幸せにすることができたのではないか。その後悔の念が彼女に手記を書かせた。文面から察すると、彼女はこの手記を高顕氏に送るつもりだったようだ。つまり手記というよりも、長い手紙ということになる。彼との間にできた子供を捨てたことに対する詫びで、手記は締めくくられていた。

「だが克子は結局この長い手紙を出さなかった。今さらこんなことをしてもどうにもならないと思ったのかもしれないし、私の迷惑になると気を遣ったのかもしれん」

高顕氏は苦渋を浮かべながらいった。

「あるいは」と私はいった。「自分が死ぬ時まで、秘密にしておきたかったのかもしれませんね」

この説は高顕氏も考えなかったようだ。少し虚をつかれた顔をした後、小さく頷いた。「それが一番かもしれない。そういうところのある女だった」

「かわいそうな女性ですね」

「うむ」

「それで」

私は高顕氏を真っすぐに見た。「その子供を探せということなのですね」

「そういうことだ。白状すると、今までにも何度か探そうと思ったことがある。この世に自分の血を受け継いでいる者がいると考えただけで、じっとしていられなくなったのだ。何らかの形で力になってやりたいと思う。しかし結局我慢することにした。どんな理由があるにせよ、それは自分勝手な行為だと思うからだ。子供に会って詫びたいという気持ちの裏に、親としての喜びを得たいという欲望があることを否定できない。本気で懺悔（ざんげ）するのなら、そういう幸福感を放棄するのが当然だろう」

高顕氏らしい厳しさだなと私は思った。

「名乗らずに近づき、密かに援助するという方法もございますわ」

「足長おじさんということかね。だが、それも同じことだ。子供の役に立っているという満足感を享受していることに変わりはない。そしてその裏には、いずれ親子の名乗りができるのではないかという、浅ましい計算が存在しているものだ」

「ではもしお子さんが見つかったなら、どうなさるおつもりですか」

私が尋ねると、高顕氏はあっさりと答えた。

「何もしない」

「えっ？」

「何もしないといったのだよ。ただ遺言書に書き残すだけだ。その子を自分の子供と認知する、とね。私には多少は人に誇れるだけの財産がある。後は法律がうまくやってくれるだろう」

法律では、認知さえすれば遺産相続においても通常の親子関係と同じ扱いを受けるということになっている。要するに妻子のいない高顕氏の遺産は、すべてその子供に行くことになるわけだ。

「そうなると……その人が父親の名前を知るのは、まだまだ先になりそうですわね」

私の気遣いを払うように、高顕氏は手を振った。

「自分の寿命を悟ったから、この話を君にしているんだ。私が死期を口にするたびに、そうして引っ掛かっていたのでは、話が先に進まない」

そうおっしゃっても、と口から出かけたが飲みこんだ。そのとおりなのだ。彼は建前や形式だけで無駄に時間を費やすのを、ひどく嫌う。

「でも問題はあります。現在そのお子さんは成人しておられるはずですね」

「二十三になるはずだ。君のいいたいことはわかっている。成人した子を認知する場合には、本人の承諾が必要だというんだろう」

「そのとおりです」

「だからその旨も遺言書に書き加えておくつもりだよ。しかしどうかね、その子は私を父親とは認めてくれないだろうか」

「さあ、認知を拒否することはないと思いますが……」

私がいい淀んだ内容を彼は察したようだ。

「構わんのだよ、財産目当てで。そして、もし仮に認知に承諾しなかったとしても仕方がない。文句をいう権利は私にはない。といっても、すでにその時にはこの世にいないのだが」

彼は寂しいジョークをいった後、真剣な眼差しを私に向けた。「探してくれるかね？」

「やってみますわ。大変でしょうけれど」

「よろしく頼むよ。何度もいうようだが、タイムリミットはさほど長くないのだ」

「努力します。でもひとつだけお願いがあります」

「何かね」

「そのタイムリミットを、できるだけ伸ばしてください。うんと長く」

高顕氏は瞬きを何度か繰り返してから、「努力しよう」といった。

手掛かりは孤児院だった。克子の手記に正式な名称は出てこないが、彼女が当時どこに住んでいたのかは見当がつけられる。そして手記によると、一時間ほど電車に乗って、その孤児院に行ったとある。

電車で一時間となると、かなりの距離になる。可能性のある施設をピックアップし、片っ端から当たっていくことにした。昔は、孤児院の門の前に赤ん坊を捨てていくことも珍しくはなかったらしい。克子の手記と合致するケースもいくつか出てきた。それでも注意深く消去していくことにより、間もなく可能性のある人間は四人に絞られた。

幸い各自の居場所はわかっていた。私はまず全員に手紙を書いて送った。ある人物から頼まれて、二十数年前の捨て子について調べている、それがあなたかもしれないので是非お会いしたい、という内容だ。

その後まず電話番号のわかっている二人に連絡を取り、面談することにした。彼らとの面談の際、私は一ヶ原高顕という名前は一切出さなかった。財産を目当てに、自分が息子に違いないと主張する輩（やから）がいないともかぎらないからだ。そんな嘘をついたところで、詳しく調べればわかるのだが、そういうくだらないことで時間を食っている余裕がこちらにはなかった。

最初の二人は、いずれも克子の子供と断言できるだけの材料を持っていなかった。むしろ否定的な材料が多かったといえるだろう。彼らは彼らなりに自分の親を判明させようと必死なのだが、こちらとしては客観的な判断を下すしかない。

残りの二人については電話番号がわからないので、私は直接会いに行くつもりだった。どちらかが一ヶ原氏の子供であってくれと祈りたい気持ちだった。もし両方とも違っていたら、調査は完全に袋小路に入ってしまう。

ところが一方の人物から手紙が届いた。嫌な予感がした。開封してみると、やはりそれは私を失望させる内容だった。自分の親についてはすでに判明しているので貴方とお会いする必要はない、というものだった。

残るのは一人だけ、それが里中二郎だった。

この人物に望みを託すしかないと接触の準備をしていたら、相手から電話がかかってきた。また不吉な感じがしたが、今回はその予感は外れていた。私が出した手紙が悪戯ではないかと疑い、電話してみたのだという。なるほどそういう可能性を考える人間もいるのだなと、再認識した。

こうして私は彼と会った。気品のある、と表現してもおかしくないほど整った顔だちで、一見したところでは苦労や貧乏とは無縁な雰囲気を持っていた。ただ時折見せる目の表情に、世の中に対する憎しみが滲んでいるようだった。

私は彼を見た途端、危険な予感を抱いた。自分の心の動きに唯事でないものを感じたのだ。自分はこの青年を愛してしまうのではないか——そういう予感だった。

十八

昼前になって、ようやく私たちは解放されることになった。私と由香の部屋を除いては、館内ならどこへ行ってもいいという。ただし建物を出る時には、必ず近くの警官に告げるようにということだった。

とはいえどこに行くあてもなく、全員がそのままロビーに残った。刑事たちが現在何を調べているのか、全員が気にしているようすだった。彼らがせわしなく動き回るようすは、関係者たちを不安にした。

いい香りがするので顔を上げると、小林真穂がコーヒーを入れてきてくれたのだった。どんな時でも女将としての義務を忘れない女性だ。私たちは礼をいってカップに手を伸ばした。小さなケーキとクッキーも添えてある。これなら喉を通らぬこともない。加奈江などはむしゃむしゃと食べ始めた。

「桐生さんの遺書がなくなったことはひとまずおいといて、由香さんが外部から来た賊に襲われたのだとすると、なぜ特にあの子の部屋を狙ったのだろう」

コーヒーカップを口元に運んだ状態で、蒼介が呟いた。

「偶然じゃないかな」と直之が答えた。「外から侵入して、おそらくガラス戸に鍵のかかっていない部屋を物色したのだと思う。その結果、たまたま彼女の部屋が狙われたんだ」

「ガラス戸に鍵をかけてなかったなんて、由香さんもどうかしてたのね」

従姉の死の悲しみが蘇ってきたのか、加奈江はケーキを持ったまま涙ぐんだ。

「でも」と曜子が首を捻った。「もしそうだとして、なぜ犯人は由香さんを殺したのかしら。乱暴された形跡はないということだし、何か盗むというだけのことなら、殺さなくてもいいと思うんだけれど」

「彼女が目を覚ましたのかもしれない。それで騒がれたらまずいと思って、刺し殺したんだ、きっと。頭がおかしい奴の仕業だとしか思えないよ」

健彦はいつの間に持ってきたのか、ブランデーをグラスに注ぎながらいった。

「おい、昼間から酒なんか飲むな」

蒼介が窘めるが、彼の息子は返事せずにブランデーを呷った。

「いいじゃないの。あたしだって飲みたい気分だわ。真穂さん、グラスを貸してちょうだい」

曜子がいうと、「あたしもね」と加奈江も続けた。蒼介は苦りきっている。

真穂が持ってきたグラスにブランデーを注ぐと、それを口にする前に曜子は少し首を傾げた。

「由香さんが目を覚ましたから殺したというのは、ちょっと解せないわね」

「どうしてですか」と健彦が訊く。

「もしそうなら、悲鳴のひとつもあげたんじゃないかしら。その暇がなかったとしても、抵抗の跡ぐらいは残っているものよ。でも刑事さんはそんなことといってなかったし」

「不意をつかれたら、そうそう抵抗できるものじゃないよ」

こういったのは直之だ。「犯人が男だった場合は特にね」

「そういえば、首を締めた形跡があるとかいってたな」

蒼介が矢崎警部の言葉を思い出していった。「首を締めて気を失わせて、そこをナイフで刺したんだろうな」

「警部さんは、首を締めたのは由香さんが息絶えてからだっていってたわ」

曜子の言葉に、蒼介は一瞬絶句した。それからひとつ咳払い。

「じゃあやはり変質者の仕業だな。普通の強盗なら、そこまではしないだろうから」

変質者というのは、うまい仮説だった。少々異常なことでも説明できる。何人かが自分を納得させるように頷いた。

「ねえ、ママ。あたし、帰り支度をしておこうと思うんだけれど」

沈黙を破って加奈江がいった。「いつになるかはわからないけど、いつでもすぐに出られるようにしておきたいわ。何だか気味が悪いし」

「そうね、そうしましょうか」

曜子も同意すると、まだ飲みほしていないブランデーグラスをテーブルに置き、母子二人連なってロビーを出ていった。それで他の者も腰を浮かしかけたが、皆一様に途中で動作を止めて周りを見た。自分がいない間に、どんな話をされるか知れないという不安が顔に出ていた。だが結局ほぼ全員が席を立った。残ったのは健彦だけだった。

私もロビーを出ることにした。部屋にはまだ刑事たちがいるはずだ。それとなく鑑識結果などを聞き出せるかもしれない。

庭を眺めながら回廊を歩いた。ここでも捜査員が数人、忙しそうに動き回っている。その中の一人が池の淵にしゃがんでいるのを見つけて私は足を止めた。昨夜私が飛び越えたあたりだった。

何をしているのだろう、何か見つけたのだろうか。私はつま先立ちをした。

「どうかしましたかな」

その時背後から声をかけられ、どきりとして振り返った。古木弁護士と鯵沢弘美がすぐ後ろにいた。

「ああ、先生。いえ、大したことじゃないんですよ。刑事さんたちは一体何をしておられるのかなと思いましてね」

「ははあ、犯人が外部から侵入した場合は必ず庭を通ったでしょうから、その遺留品なり痕跡なりを探しておるようですね。おや、あの刑事は変わった場所を調べているな。あんな池の縁に何かあるのかな」

古木弁護士も私と同じ疑問を抱いたようだ。

「ちょっと訊いてきましょう」

いうや否や、鰺沢弘美は近くの空室に入ると、そのガラス戸を開けて庭に下りたった。早速捜査員に注意されているが、ひるまずに何かいい返している。

「活発な方ですわね。怖いものなんかないみたいで」

弘美の背中を見ながら私はいった。

「あの子は高顕氏に頼まれて、うちで面倒みることになったんです」

古木弁護士は、小さな目をさらに細めた。

「あら、そうですか」

少し驚いた。初耳だった。

「思えばあれが高顕氏の最後の頼みでしたな。御友人の子だそうですが、よくやってくれます。お茶くみや雑用など、最近の女の子なら嫌がるようなことでもね。おまけに勉強熱心だし」

「加奈江さんが、奇麗な人だわといってました」

私がいうと、古木弁護士はにっこりして何度も頷いた。

「そういう表現もありますな。さすがは加奈江さんだ。たしかにそうです。年ごろだし、おかしな虫がつかぬよう気をつけねばなりません。もっともあの子はしっかりしていますから、大丈夫だと思いますが」

褒め言葉がひと段落した頃、当の弘美が戻ってきた。

「足跡のようなものがあるんだそうです」

「足跡？　犯人のかね」

「さあ、それはまだわからないということですけど」

弘美は首を傾げた。「ふつうなら、こんなところに足跡がつくのはおかしいと、刑事さんはおっしゃってます」

「それもそうだな」

古木弁護士は外に視線を移した。遊歩道にはすべて石を敷いてあり、土の部分といえば樹木のあるところだけだ。普通に散歩するだけなら、足跡など残らない。私は腋の下を汗が流れ落ちるのを感じた。捜査員は今も池の縁に座りこんだままだ。もしかしたら石膏か何かを流しこんで、足跡の型でも取るつもりかもしれない。

「昨日の朝、雨が降りましたよね」

鰺沢弘美が唐突にいった。

「うん、降った」

「ということは、あの足跡は昨日から今朝の間につけられたということになりますね。それ以前のものなら、雨で流されていたはずですから」

「なるほど。たしかにそうだ」

古木弁護士が感心したようにいう。私は鯵沢弘美の整った顔を見て、きりきりと胃袋の痛むのを感じた。

「もしあれが犯人の足跡なら、やはり外部の人間ということになるんだろうな。外を歩いているわけだから」

「そうとはかぎらないんじゃないでしょうか。内部の人でも、庭を通じて出入りするという手はあります」

髪をかきあげるしぐさをし、弘美はさらりといってのけた。

「それもそうか。しかしあの足跡の位置は何だろうな。まるで池に跳びこむような場所じゃないか」

「もしかしたら跳び越えたのかもしれませんね。ほら、あそこなら幅が狭いからできないこともなさそうです」

私がどきりとするようなことを鯵沢弘美がいった時、廊下の向こうから小林真穂が小走りにやってきた。

「先生の事務所からお電話です。助手の方でもいいということですけど」

「じゃあ私が出てきます」

弘美は真穂と共に廊下を歩いていった。その後ろ姿を見送って、私は吐息をついた。

「お忙しいのに、こんな事件に巻きこまれて大変ですわね」

「いやなに、大した仕事は控えておりません。今回の一ヶ原会長の相続問題が最大の仕事でしてね」

「額が大きいから」

「全くそうです」と老弁護士は頷いた。「奥さんやお子さんがいなかったことも、話を複雑にしておりますな」

お子さん、という言葉は私の胸に響いた。里中二郎のことが思い出される。

「一ヶ原さんには、本当にお子さんがいらっしゃらなかったのでしょうか。たとえば奥さん以外の女性との間に、とか」

いってから、しゃべりすぎたかと後悔した。あまりにもぶしつけな質問だ。案の定古木弁護士は怪訝そうに眉を寄せ、そののち口元をほころばせた。

「突飛なことをおっしゃる。何かお心当たりでも?」

「いえいえ」と私はあわてて手を振った。「世間でよくある話を持ち出しただけでございます。先生なら、一ヶ原さんのことを何でも御存じだと思いまして。つまらぬことを申しました。お忘れください」

古木弁護士は微苦笑した。

「一ヶ原会長のことを一番よく知っていたのは、やはり亡くなった桐生枝梨子さんですよ。彼女から何かお聞きになってませんか」

「いえ、何も」

「そうですか」

彼が黙りこんだのを見て、私は焦った。一体何を考えているのだろう。私――桐生枝梨子が高顕氏の子供を探していたことを、この弁護士は知っているはずだ。そのことを思い出しているのだろうか。

その時、鯵沢弘美がやってきて古木の名を呼んだ。電話に出てもらいたいらしい。古木は小さく会釈してその場を立ち去った。私は彼を見送った。彼の背中を見ていると、胃袋がちくちくと痛んでくるようだった。

私は目だけを庭に向け、頭の中では全く別のことを考えていた。私が高顕氏の子供探しをしていたことを、誰かが知っていたはずなのだ。そしてその者が、私と彼の死を望んだことは間違いない。

記念すべき日のことが頭に蘇る。もし犯人が何かたくらんだのだとしたら、それはあの日以後だ。私と彼が初めて会った、あの日――。

十九

「まず初めに僕の方から条件を出させてください」

喫茶店で向きあった時、ジローは固い顔つきでいった。

「何かしら?」

私は相手の緊張をほぐそうと、わざとくだけた口調で訊いた。

「あなたの依頼主、つまり僕の父親かもしれない人物のことを教えてください。どこの誰で、なぜ今頃捨てた子供を探そうとするのかを」

これはすでに会った二人の青年からも質問されたことだった。当然の疑問である。しかし私はこの段階で答えるわけにはいかなかった。

「残念ですけど、それを話すのは、あなたこそその人の息子さんだという確証が得られてからにさせてください。そのほうが、もし違っていた場合でも後くされがないでしょ」

「だけど、それはアンフェアだ。こっちだけが話をするなんて」

「そうでしょうか」

「そうさ。だってその人は僕の名前を知っているわけでしょう？」

「その点なら問題ありません。なぜなら彼には最終報告をするだけで、中間報告はしないからです。つまり本当の子供でなかった場合は、彼があなたのことを知ることは永久にないわけです」

「でもあなたは知っている」

「それは仕方がありません。誰かが仲介しなければ」

ジローは下唇を軽く嚙み、何事か考えているようすだった。警戒心の強そうな目だ。こうでなくては、たった一人では生きてこられなかったのかもしれない。

「もしあなた一人じゃ結論を出せない場合はどうするんですか。その場合には、依頼主に相談せざるをえないでしょう」

「当然そうなるでしょうね。でも里中二郎という名前を出す必要はありません。あなたの住所も連絡先も不要です。必要なのは、捨てられていた時の状況を示す物的証拠なのです。それから判断して、間違いなく子供だとわかったら対面の場を設けます。お互いが名乗るのはその時にすればいいと思います。これなら公平でしょう？」

「あなたが嘘をついているのでなければね」

「あたしが嘘をつく必要は全然ないのですけど、まあ信用していただくしかありません」

彼は相変わらず鋭い目で私を見ていたが、やがて首を小さく縦に振った。

「仕方がない、信用しましょう。ただし、もし子供である可能性が高いとなっても、対面するかどうかはわからない。それは僕が決めます。いいですね」

「いいでしょう」

こうしてようやく彼のインタビューを始めることができた。

ジローによると、彼が捨てられていたのは二十四年前の十月二十五日ということだった。親の置き手紙もなく、彼の名前を示すものも何ひとつなかったという。

「おかげで名前は施設でつけてもらうことになりました。それならそれで、もう少し気のきいた名前にしてほしかったけれど」

里中二郎という名前を彼はあまり気に入っていないらしい。

「捨てられた時に身につけていたものは、今も残っているのですか？」

「残っていますよ。唯一の手掛かりですからね。といっても、それほど親に会いたいわけではないけれど」

「どういったものがありますか」

「まず毛布だな。ベージュの小さな毛布にくるまれていたんです。それからベビー服に靴下、カイロ……」

「カイロ？」

「使い捨てじゃなく、揮発油を燃やして暖めるやつです」

「知っています。金属製の容器に入れて燃やすタイプですね。懐かしいわ」

やはり親だなと思った。十月も後半となれば肌寒い。まして屋外に置き去りにしていくのだから、風邪をひかないようにと考えたのだろう。

「あとは日本手ぬぐいで作ったおむつが数枚と、毛糸の帽子、そんなところかな」

「毛糸の帽子？」

私は問い直した。「それはたしかですか？」

「たしかです」

「どういう帽子ですか？」

「どういうって、普通の丸い帽子。手垢で黒ずんじゃってるけど、元もとは白いものだったんだろうな」

私は手を叩きたい気分だった。克子の手記に、たしかに白い手編みの帽子のことが出てくる。

興奮を顔に出さないよう努めて、「そのほかに何かありませんか？」と訊いた。

「それで全部です。赤ん坊が身につけているものといったら、そんなものでしょ」

「そうかもしれませんね」

しかし帽子は収穫だった。今までに会った青年たちで、帽子のことをいった者はいない。この時点で私は、ジローが一ケ原氏の子供に違いないと確信した。

「お願いがあります。今あなたがおっしゃったものを、あたしに貸していただけないでしょうか。これは特別にお話しすることですが、今伺ったかぎりでは、あなたがその人物の子供である確率はとても高いのです。是非、もう少し詳しく調べさせてください」

「それは構わないけど……急ぐんですか」

「なるべく早い方がいいです。でもあなたにも都合があるでしょう。宅急便か何かで送ってくだされば結構です」

すると彼はまたしばらく考えていたが、顔を上げるといった。

「送るのは嫌だな」

「そう？」

「大事なものだし、心配なんです。直接お渡しします。僕の方から連絡しますから、その時にお会いする日時を決めてください」

彼が心配するのも当然と思えた。それに私の胸の内に、最低もう一回この青年に会えるという思いがよぎったのも事実だ。

「じゃあ、待っています」

この時の私の目は、まるで女子学生のように輝いていたのではないだろうか。翌日から私は彼からの電話をそわそわと待っていた。そのようすを傍から見れば、ボーイフレンドからの電話を待つ思春期の娘そのままだっただろう。思い出すだけでも赤面してしまうが、私は次回に彼と会う時の洋服を調達するために、今までに行ったことのなかったブティックを覗いたりしたのだ。

そして彼からの連絡があった。私は買ったばかりの洋服に身を包んで、いそいそと待ち合わせの喫茶店に出かけていった。

彼は約束の品を全部持ってきていた。押し入れの奥にでもしまってあったのだろう、それらからはかすかに樟脳（しょうのう）の香りが漂っていた。

「どのくらいお借りできるかしら」

「どのくらい必要ですか？」

「長くて一週間ぐらいです。終わったら電話します」

「なるべく早くお願いします。大事なものだから」

私が荷物を紙袋にしまうのを、彼は心配そうに見つめていた。本当に大事なものなんだなと私は思った。

この後私は彼の今までの経歴について尋ねた。一ヶ原氏の子供かどうかという点には直接関係しないが、知っておく必要はある。それに正直にいうと、彼といる時間をなるべく伸ばしたいという気持ちが働いていた。

彼は高校まで通い、卒業と同時に施設を出たらしい。現在は自動車修理工場に勤めていて、将来はカーマニアの集まる店を経営したいという夢を持っていた。

「いつになるかわかりませんけどね」

「叶うわよ、きっと」

「だといいけど」

そういった時、彼の胃袋が音を発した。おなかがすいてるんだなと思った。

「御飯まだなんでしょ？　何か食べに行きましょうか」

何気ないふうを装っていったが、自分としては相当思いきった発言だった。プライベートで誰かを食事に誘ったことも、誰かに誘われたこともない。彼は少し驚いたようすで、黙っている。

「スペイン料理の良い店があるのよ」

彼の沈黙が怖く、続けていったが、早くも私の声は上ずっていた。余計なことをいわなければよかったと後悔した。私のような年上の醜女に誘われて、彼のような美青年が喜ぶはずがない。

また今度にしましょうかという台詞が喉元まで出かかった時、彼が顔を上げていった。

「……バーガーにしませんか？」

「何？」

「マクドナルドでハンバーガーか何か食べませんか。スペイン料理だとかフランス料理だとか、そういうの苦手だから」

彼はきまり悪そうに、小指でこめかみのあたりを掻いた。私は胸につかえていた重いものが、すっと抜け落ちるのを感じた。

「ええ、いいわ。近くにあったかしら?」

私がいうと、彼は安堵したように白い歯を見せた。そして三十分後、ビッグバーガーを頬ばるジローを見ながら、私はチーズバーガーを食べた。

この後も私たちは何度か会った。まず借りた品物を返す時、それから調査が進展を見せた時や、追加質問をする時などだ。電話で済むような用件でも、じかに会えるよう仕組んでいたことを私は認めなければならない。彼が面倒がらず、一緒にいる時間を楽しんでさえいるように見えることは、私を勇気づけ、大胆にさせていた。

何かいいことでもあったのかい、と一ヶ原氏はベッドの中から訊いた。それで私はパソコン・キーを叩きながら鼻唄を漏らしていたことに気づいた。

「あっ、どうもすみません」

「謝ることはない。君はこの頃とても生き生きとしている。女性のそういう表情を見るのは気持ちの良いものだ」

高顯氏に見つめられ、私は逃げ出したくなった。この慧眼な人物にかかれば、胸の内など簡単に見破られてしまいそうだった。

「あの、例のお子様の件ですけど、もう少しお待ちいただけますか。いろいろと調べることが多くて……」

ごまかすためにいったが、高顕氏は途中で首を振り始めていた。

「あわてることはない。ゆっくりやってくれればいいんだ。そうして君の方で報告してもいいという段階になったら教えてくれたまえ」

「わかりました。引き続き調べてみます」

ジローにも話したように、中間報告の類いは全くしていなかった。それが高顕氏の指示だったからだ。事実彼は一度も調査状況を尋ねたりはしなかった。

そして私が彼に報告すべき日は、確実に近づいていた。ジローから借りた品物のうち、最も大きな手掛かりとなったのは、日本手ぬぐいで作られた数枚のおむつだった。その手ぬぐいの中に、役者名を刷りこんだものが入っていた。今は殆ど知る人もいないその役者は、克子がかつて所属していた劇団の売れっ子男優だったのだ。

間違いないと私は確信した。里中二郎——ジローこそ一ヶ原高顕氏の子供なのだと。

二十

復讐を決意した時、果たして誰がジローのことを知っていたのだろうかと考えてみた。一ヶ原一族もしくはその関係者の中にジローの存在を知った者がいて、その者が例の心中事件の犯人となったことは間違いないのだ。

だが私はいくら記憶を辿ってもわからない。私は彼のことを誰にも、高顕氏にさえ話さなかった。にも拘らず、誰が知りえたのだろう。

ジロー本人が話したとは考えられない。そんなことをする理由がない。何しろ、彼が高顕氏の子供に間違いないという確信を私が得た後も、そのことを報告することを妨げていたのは彼本人だったのだから。

「なぜなの？」と私はジローに訊いた。「なぜ報告しちゃいけないの？」

「最初にいっただろ。会うかどうかはわからないって。報告すれば、どうせ向こうから会いに来る。それが嫌なんだ」

「なぜ会いたくないの？」

「今さら会ってどうなるんだ？　厄介だからって捨てておいて、今度は老後の面倒でも見てもらおうって魂胆なんだろうが、そうはいくものか」

「あなたが嫌なら、認知することはできないわ。会うだけでもだめ？」

「お断わりだね」

「でも今まで協力してくれたのは、あなたも本当の親が誰なのかを知りたかったからじゃないの？」

「それはそうだけど……どうせ違うだろうと思っていたんだ」

「そうかしら。そのわりにはあなたは熱心だったわ。熱心にあたしの調査の手助けをしてくれたじゃない」

するとと彼は小さな声で、「そうじゃないんだ」といった。

「何がそうじゃないの？」

「だから……」

彼は何かいいかけたが、私を見て吐息をついた。「もういい。とにかく今は会いたくないんだ」

こういうやりとりが二、三回繰り返された。私は彼が「そうじゃない」といった意味について、薄々見当がついていた。彼は、「あなたに会えるから調査に協力したんだ」といおうとしたのではないだろうか。そして私は彼にその台詞をいわせたくて、しつこく問い詰めていたような気がする。

とにかく私としては、何とか彼を説得する必要があった。というよりも、彼に幸せを掴んでもらいたかったというべきかもしれない。そこで私は考えようによっては姑息な手段ではあるけれど、彼に父親の名前を教えることにした。一ヶ原高顕の名は知らなくても、会社や業績のことは承知しているはずだ。そういう人物が父親なのだと聞けば、ジローの気も変わるかもしれないと思ったのだ。

予想通り彼は驚きの色を見せた。いつもの喫茶店で私たちは向きあっていたのだが、彼の目は私の身体を通り越して、どこか遠くを見ているようだった。

「信じられないな」と彼は呟いた。「あの人物が僕の父親だなんて……」

「一ヶ原氏は自分に子供がいることさえ、長い間御存じなかったのよ」

私は高顕氏と克子とのことを、かいつまんで説明した。高顕氏がすぐには子供を探そうとはせず、自分の死期を悟った今だから探し始めたことなどもだ。

ジローはしばらく黙りこんでいた。自分を取り巻く事態の変化に、気持ちがついていかないのだと私は解釈した。

「まだ……まだ僕のことを向こうに話してはいないんだね」

「話してないわ。一ヶ原氏のことをあなたに話したことで、あたしは彼を裏切ったことになるけれど、あなただけには嘘はいわないわ」

私としては大胆な台詞を口にしたつもりだったが、ジローはぼんやりと空間を見つめているだけだった。そのことが少しじれったかった。

「もうしばらく待ってくれないかな」と彼はいった。「落ち着いて、一人で考えてみたいんだ。とにかく今は考えがまとまらない」

「わかったわ、もう少し待つ。決心がついたら連絡してちょうだい。でも、前向きに考えてね。一ヶ原氏には、時間があまり残されていないのよ」

すると彼はちょっと険しい目をしていった。

「時間がないのは、僕のせいじゃない」

あたしは返す言葉が咄嗟には思いつかなかった。

それから十二日間、彼からの連絡はなかった。その間に私は二度ほど電話してみたが、いずれも彼は留守だった。

そして十三日目の夜、突然彼が私のマンションにやってきた。住所は教えてあったが、まさかこんな形で訪問を受けるとは思っていなかったので、私は面食らった。

部屋に入ってもいいかと彼は目をそらしたまま訊いた。私は迷った。彼を入れたくなかったのではない。簡単に了承すれば、彼がどんなふうに思うだろうと考えていたのだ。

しかし私は彼と二人きりになれるチャンスを逃したくはなかった。平静を装い、私は彼のためにドアを開いた。

「奇麗な部屋だ」

部屋の中央に立って彼はいった。「女性の匂いがする。桐生さんの……枝梨子さんの匂いだ」

枝梨子さんという響きは、私の胸を刺激した。だが表面上は全く聞いていなかったようなふりをして、「コーヒーでいいわね」といってキッチンに向かった。コーヒーを入れながら気にしたことは、今の自分の化粧の状態だった。会社から帰ってきて、まだ化粧を落としていない。よかった、と思った。素顔で彼に正対する勇気はなかった。

「それで、決心はついたの？」

コーヒーを運びながら私は訊いた。彼はカップには手を出さず、そこから立ちのぼる湯気をじっと見つめていた。

「ワープロなのかい」

彼がぽつりといった。「何？」と私は聞き直した。

「報告書はワープロで作っているのかい」

自分に関する報告書は、という意味らしい。そうよ、と私は答えた。

「今、ここにあるの？　それとも会社？」

「会社ではできないわ。こっちへいらっしゃい、見せてあげる」

ワープロの前に彼を連れていき、私は作成中の報告書を見せた。彼はくいいるように画面を見た後、「あとはプリントアウトするだけかい」と訊いた。

「プリントアウトして、私がサインすれば完了」

「ふうん」

彼はもう一度画面を見ていった。「今ここで、内容を全部消したら怒るかい?」

「なぜそんなことをするの?」

「別に……何となくさ」

「消えたら、また書けばいいだけよ」

「だろうね」

彼はリビングルームに戻った。私はワープロのスイッチを切った。

「このままだと悔しすぎる」と彼は呟いた。

「えっ……」

「悔しいんだ。その男の思い通りになってしまうのが。何もかも計算通り、無事に息子も見つかって、後始末を押しつけることもできる」

「あなたが面倒を被ることはないわ。一ヶ原さんはそんな人じゃない」

「僕にとっては、莫大な遺産とやらも面倒なんだ」

「そんなことといっても……」

ジローは混乱しているように見えた。私は彼を冷静にさせる言葉を考えながら、コーヒーの中のスプーンを回していた。

「じゃあ、どうするっていうの？」

私が訊くと、彼の頰がぴくりと痙攣するように動いた。彼はゆっくりと私の顔を見た。

「今日僕は……あなたを犯しに来たんだ」

「えっ？」

私は表情を変えることなく声を発していた。変えられなかったというべきだろう。彼の言葉はたしかに聞いたのだが、その意味が頭に入ってこなかった。

「あなたを」と彼は私の手をとった。「今から――」

「ちょっと待って」

私は手を引こうとしたが、彼の力が強く、びくともしなかった。私は諦めて、逆にもう一方の手を彼の手に載せた。「なぜそういうことになるの？」

「思い知らせるためだ」と彼はいった。「その一ヶ原とかいう男に教えてやるんだ。何もかも計算通りになると思ったら大間違いだということをね」

「あの人はそんなこと思っていないわ」

「いや、思っている。金さえあれば、どんな過去も清算できると信じているに違いないんだ。だから僕はあなたを犯す。あなたはそれを報告すればいい。さすがにその男も、こんな事態は予測していないだろう。それでも彼は僕を息子として認知したいと思うだろうか。思わない方に僕は賭ける。僕に詫びる気持ちがあるといったって、所詮はその程度なんだ」

「それだけの理由で、あたしを犯すの？」

私が見つめると、彼は瞬きして横を向いた。また頬の肉が動いた。

「それだけじゃない……前から思っていたんだ。あなたを抱きたかった」

彼の言葉は私の胸を直撃した。血の流れが自分でもわかるほどに心臓が高鳴りを始めていた。首筋から頬にかけてが、火であぶられたように熱くなった。

「言い分はわかったわ。だからちょっと離して」

私は内心の動揺を必死で隠し、彼の手を外そうとした。彼はやはり強い力でそれを拒んだが、今度は私も負けなかった。ふりほどくと立ち上がり、ベランダの方を向いた。ガラス戸に彼が映っている。彼の目は私の背中に注がれていた。

私はカーテンを閉めると、身体を半転させ彼を見下ろした。鼓動は依然として速く、息が荒くなるのを抑えるのに苦労していた。

「わかったわ」と私はもう一度いった。そして深呼吸してから続けた。「抱いて」

彼は明らかに戸惑ったようすだった。声の出し方を忘れたように、口を小さく動かしただけだった。

「あなたに女を犯すようなことをしてほしくないのよ」と私はいった。「それにあたしだって犯されたくない。これは合意の下でのことよ。あたしも相手があなたなら、抱かれてもいいわ」


　彼の目はテーブルの上のコーヒーカップに向けられていた。

「何か飲むもの……ウイスキーか何かないかな」

「あるわ。でもだめ。アルコールで気持ちをごまかすのは卑怯だわ」

　するとジローはカップに手を伸ばし、コーヒーを一口啜った。カップを置くと黙って立ち上がり、うつむいたまま私のところへ来た。

「このことを報告しないのか」と彼は訊いた。

「しないわ。する理由がないでしょ。これはあたしのプライベートなことなんだから」

　彼は私の目を見つめてきた。私はそれを真正面から受けとめたが、正直なところ、立っているのがやっとという精神状態だった。

　次の瞬間、私は彼に抱きすくめられていた。あまりに力が強かったので、一瞬息が詰まった。

　そして私は唇を奪われた。遠い昔にファーストキスらしきものの経験はある。だがそれから十年以上の時が流れていた。私は自分の心臓の響きが彼に知られてしまうのを、気にする余裕すらなくしていた。

　甘い陶酔と緊張、それから少しの痛みを伴う行為だった。彼は不器用でなく、さりとてさほど慣れたようすでもなかった。といってもそれは私の単純な印象にすぎない。

　三十二年。気の遠くなるような月日を経て、私は初めて女になった。

その夜から私の人生は一変した。二十四時間ジローのことを考え続け、彼なしの生活など想像することもできなくなった。彼のためならば死んでもいいとさえ思ったのだ。

二十一

悲しみに頭がぼんやりした。余計なことまで思い出してしまった。今は感傷的になっている場合ではない。とにかく一刻も早く真実を見つけなければ。

私の部屋に戻ってみると、若い高野刑事だけが残っていた。調べるべきことは粗方終わったという。

「では、もうこの部屋に入ってもよろしゅうございますね」

「それは結構ですが、本間さんに確認していただきたいことがあります。例の遺書以外になくなっているものはありませんか」

「さあ、どうでしょう……」

私は室内に入ると、バッグの中や洗面台の上を改めるふりをした。

「さすがに女性は化粧品が多いんですね」

洗面台の上に様々な瓶が置いてあるのを見て高野がいった。婆さんのくせに、という意味がこめられているのだろう。もし女性なら、これらの化粧品を見て不審に思うはずだった。通常なら使わないようなものが並んでいるからだ。

「ほかにはなくなっているものはなさそうですけれど」

一通り見回してから私はいった。

「そうですか」と高野は頷いてから、「珍しいものをお持ちですね」とバッグを見下ろした。

「中身はウイスキーか何かですか」

彼が何のことをいっているのかわかった。バッグのポケットからステンレス製のスキットルが覗いていたのだ。

「ああ、これですか」

私はスキットルをポケットの中に押し込んで蓋をした。「いえ、中身はお酒じゃないんですよ。化粧をとる時に使うアルコールのようなもので……」

その時ドアをノックする音がした。返事すると、蒼介が顔を覗かせた。

「おや、刑事さんも御一緒でしたか。――本間さん、矢崎警部が皆に集まってもらいたいそうです」

「何でしょう?」と私は立ち上がった。

「さあ、どうも何か摑んだらしいですよ。彼らはどうもはっきりいってくれなくて困る」

蒼介は高野刑事を横目で見ながらいった。

ロビーで皆と待っていると、矢崎警部が現われた。かなり厳しい顔つきに変わっている。

「女将さん、小林さん」

警部は小林真穂に呼びかけた。「もう一度お尋ねしますが、昨日、本当にマスターキーを誰にも貸さなかったのですね」

「ですから先程もいいましたとおりです」

彼女がいうと、矢崎は首を振った。

「はっきりと答えてください。誰にも貸さなかったのですね」

「お貸ししておりません」

「結構」

続いて警部は私の方を向いた。「本間さん、昨日あなたは御自分の部屋に、由香さんをお入れになりましたか」

「いいえ」と私は首を振った。

警部はひとつ頷くと腕組みし、神妙に待機している関係者一同をひと睨みしていった。

「マスターキーから由香さんの指紋が検出されました」

ええ、という声が誰からともなく発せられた。それに応じるように、矢崎警部は二度三度と首を縦に動かした。

「マスターキーだけでなく『いの壱』の間、つまり本間さんがお泊まりになっている部屋のドア、襖の縁などからも、由香さんの指紋が見つかったのです。今本間さんがおっしゃったように、こちらに来てから由香さんは本間さんの部屋には入っておられないはずだ。それなのになぜ彼女の指紋が残っているのか」

「例の遺書を盗んだのは、由香さんというわけ？」

曜子がかん高い声を出した。警部は頷いた。

「そう考えるのが妥当でしょうな」

「そんな馬鹿な。由香がどうしてそんなことをしなくちゃいけないんですか」

紀代美が半泣きの表情で抗議した。

「そうなのです」と矢崎は対照的に冷静な口調でいった。「なぜ由香さんがそんなことをしなければならなかったのか、じつはそれを我々が伺いたいのです。お母さんにお心当たりはありませんか」

「そんなの、あるはずがないじゃないですか」

紀代美は金属的な声でいった。

「ほかの方は？」

警部は他の者に訊いたが、答える者はいなかった。心当たりがないわけではないが、それを自分が口にするのは嫌なのだろう。

「藤森曜子さん」と彼はフルネームで曜子の名を呼んだ。「あなたは昨夜、半年前の心中事件が仕組まれたもので、桐生枝梨子さんの遺書にはその事実を訴えた内容が書かれていたのではないか、という推理を述べられたそうですね」

「……はい」と彼女はうなだれるように返事した。

「もしあなたの推理が正しかったとすると、その犯人にとって桐生さんの遺書は非常に不利なものとなりますね」

「だと思います」

「すると」と警部は顔の前で人差し指を立てた。「その遺書を由香さんが盗んだということは、由香さんが心中事件を仕組んだ犯人ということになるのでしょうか」

「何ですって、どうして由香が」

紀代美が横からわめいた。付近にいた刑事たちがなだめにかかった。

「奥さん、落ち着いてください。単なる仮説です」

「何が仮説よ。いい加減なことばっかり。殺された上におかしな嫌疑までかけられて……かわいそうな由香」

泣きだしたが、おかげで静かになった。矢崎警部は顔色ひとつ変えずに、「いかがですか、藤森さん」と質問を続行した。

曜子は興奮を抑えるように両手をこすり合わせた。

「あたしは仕組まれた可能性があるといっただけで、絶対にそうだとはいってません。まして由香さんが犯人だなんて……」

「しかし可能性があることは認めるんですね」

警部が執拗に尋ねる。曜子は諦めたように吐息をついた。

「ええ、可能性ということなら」

「いいでしょう、どうぞおかけになってください」

警部は両手を腰の後ろに回すと、ややうつむき加減にして、私たちの前を行ったり来たりした。そして立ち止まると、「どういうことでしょうな」と呟いた。「本間さんがお持ちになっていた桐生枝梨子さんの遺書を盗んだのは、どうも由香さんらしい。その由香さんが何者かに殺害された。これをいったいどう見るか、ですが……」

「由香さんの部屋に例の遺書はあったのですか」

直之が訊いたが、警部は首を振った。

「限無く探しましたが、見つかりませんでした。犯人が持ち去ったのではないかと我々は見ています。そうなると今度は、なぜ犯人がそれを持ち去ったかという疑問が出てくるわけですが――」

「僕の考えを述べてもいいでしょうか」

警部の言葉を遮って直之がいった。どうぞというように警部は掌を出した。

「由香さんがなぜ例の遺書を盗んだのか、それはわかりません。しかし彼女が殺されたこととは直接関係はないんじゃないですか。犯人がそれを持ち去ったのは、封筒の中身を現金か何かと思ったからと考えることもできます。現に彼女の財布もなくなっているんでしょう？」

この説には、犯人は外部からの侵入者だという意味がこめられている。忽ち蒼介がこの意見に飛びついた。

「そういえばあの封筒には何も書いてなかったから、忍びこんだ犯人が金目のものと勘違いすることもありうるな」

ほかの者も小さく頷いた。

「たしかにそういう可能性はあります」

矢崎警部はいかにも形式的な口調で同意した。「ただどうも偶然にしてはできすぎているような気がするのです」

「矢崎さん」と直之が険しい口調でいった。「あなたは犯人が内部にいることにしたいのですか」

「とんでもない」といって警部は目を丸くした。「そんなつもりはありません。外部犯の可能性を考えているからこそ、周辺の聞き込みもしておるわけです。怪しい者を見かけなかったかということでね。現在のところ、有力な情報は得られておりませんが」

「夜中のことだから、目撃者がいなくて当然ですよ」

「おっしゃるとおりかもしれません」

「本間さんの部屋から由香さんの指紋が出たことは聞きましたけど、由香さんの部屋はどうだったのかしら。今朝、あたしたち全員の指紋をとられましたけれど」

曜子が恨めしそうにいう。警部は手帳を開いた。

「検出されたのは、由香さん自身のものと一ヶ原紀代美さんのもの小林真穂さんのもの、それから藤森加奈江さんのものと掃除を担当した従業員のものだけです。その従業員は昨日はこちらに来ていませんし、アリバイが確認されています」

「強盗をしようという者なら、手袋ぐらいはするでしょう」と直之がいった。

「でしょうな。指紋以外には髪の毛が何本か見つかっております。これは現在鑑識で調査中です」

髪と聞いて私の心臓は高鳴った。もしかしたら私の髪も落ちているかもしれない。白毛なら何とかごまかしようもあるが、鬘の白髪は合成繊維だ。見つかった髪の中に白髪は混じっていないのだろうか。

いやもし混じっていたのなら、調べるまでもなく私を問い詰めるはずだ。見たところ白髪頭はほかにはいないのだから。大丈夫、大丈夫。私は自分自身を励ました。

「髪からはどんなことがわかるのですか」と蒼介が訊いた。

「いろいろなことがわかります」と警部は答えた。説明する気はないらしい。

「関係者以外の髪が出てくれれば、外部犯の可能性が高くなりますね」

直之が念を押すようにいう。

「まあそうですな」と矢崎警部は気のない返事をしてから、「ほかに御質問は？」と尋ねた。発言する者はいなかった。警部は咳払いをした。「とにかく現時点では、まだ何とも断定できない状態です。しかしそれはそれとして、由香さんの行動については明確にしておく必要があります。人の部屋に忍びこんでまで他人の遺書を奪おうとした行動は、よほどの事情があってのこととみなければなりませんからね。皆さんにもこれからいろいろとお尋ねすることになると思いますので、どうか御協力をお願いいたします」

警部の口調からは、半年前の事件にまで遡（さかのぼ）って捜査する決意が感じられた。一同の間には一層暗い空気が漂い、それと同時にお互いの表情を盗み見する視線が一瞬空中を交差した。

二十二

ひとまず自室に引きあげた。どうしようもないほど身体が疲れている。昨夜一睡もしていないこともあるが、変装を続けていることが、想像以上に私の精神力を参らせていた。私は座布団を並べ、その上で横になった。

といっても眠れるわけではなく、軽く目を閉じると、頭の整理をすることにした。

まず由香のことだ。なぜ遺書を盗んだのか。

彼女は遺産目当てに人殺しをするような娘ではない。プライドが高く、貧乏など耐えられないような性格だが、今の生活水準を維持できるなら危険な賭けに出たりはしないだろう。そしてその程度の財力なら、今でも彼女ら母子にはあるはずだ。

むしろもし遺産を狙うとすれば母親の方だろう。紀代美は見かけ以上に強欲な女だ。当てにしていた高顕氏の遺産が入ってこないとなると、気も狂わんばかりに逆上するかもしれない。

そうか、と私は瞼を開いた。

紀代美が犯人ということも考えられる。

それなら由香が遺書を盗んだことも説明がつく。母親が心中事件の犯人と知り、それを隠すために盗んだのだ。もしかしたら母親が娘に頼んだのかもしれない。

だがなぜ由香は殺されたのか。心中事件とは無関係で、遺産の取り分を増やすために、蒼介、曜子、直之の中の誰かがやったことなのか。

いや由香が遺書を盗んだことと、彼女が殺されたことが無関係とは思えない。矢崎警部ではないが、偶然にしてはできすぎている。

紀代美が母親でなければ、仲間割れということもありうるだろうが、まさか母親が娘を殺すとは思えない。

問題は『И』だ。一体どういう意味なのだろう。由香は何を伝えようとしたのだろう。

そんなふうに考えを巡らせているうちに、疲れのせいか、少しうとうとしたようだ。目が覚めたのは、ドアをノックする音がしているからだった。

私は手鏡で変装の具合をチェックしてから返事してドアの鍵を外した。外に立っていたのは矢崎警部と高野刑事だった。

「おやすみでしたか」と警部が申し訳なさそうにいった。

「ええ、少しうとうとと」

私は作り笑いをして二人の刑事を見た。「あの、何でしょう?」

「じつは少し伺いたいことがあるのです。今よろしいでしょうか」

「ええ、どうぞ」

私は二人を招き入れると座布団を差し出した。だが二人とも畳の上にあぐらをかいた。「昨日、あなたは庭にお出になりましたか」

これが最初の質問だった。出ましたと答えると、横で高野が地図のようなものを広げた。よく見るとそれは、ここの庭の簡単な見取り図だった。ほぼ中央に池が描かれている。

警部は私に、何時頃、どのあたりを歩いたかを尋ねた。私は昨夜寝る前に散歩し、その時小林真穂と会ったことなどを話した。横では高野がそのルートを、図面上に描きこんでいく。彼らの目的が私にもわかった。

話を聞き終わると、警部は満足そうに顎を撫でた。

「どうもありがとうございました」

「いいえ。あの、これは池の縁で見つかった足跡と関係あるのですか」

さりげなく訊いてみたが、警部の顔色が変わった。

「誰からお聞きになりました?」

私は先程の、古木弁護士や鯵沢弘美とのやりとりを話した。矢崎警部の顔つきが元に戻った。

「なるほどそうでしたか」

「やっぱり犯人の足跡なんでございますか」

「まだ何とも申しあげられません。我々にも判断できないという意味です。ただ、誰かが池を跳び越えたことだけはたしかなようです。池の反対側にも、同じような跡がありましたから」

「まあ、それは奇妙な」

「ふつうに散歩するだけなら、そんなことはしないでしょうな」

そういって警部は苦笑したが、すぐに真顔になった。「まだ何ともいえませんが、もし犯人のものだとすると、これはかなり重要な手掛かりになるかもしれません。もっとも形が不鮮明で、個人を特定するのは難しそうですが」

「犯人は由香さんの部屋を出た後、池を越えてどこかに逃走したということですね」

もちろん外部からの犯人という意味で私はいっている。が、これに対する警部の、「そうですな、どこかに逃げ戻ったんでしょうな」という台詞には、また別の意味が含まれているようだった。

とにかく、と彼はいった。

「今のところ断言できるのは、足跡の主が池を跳び越すだけの体力を持っているということぐらいですな。それ以外は、あまり先入観を持たない方がいいかもしれません」

「まあ、それなら私は大丈夫でございますね。ほかの方はともかく、私にそんなことは不可能ですから」

口に出してから、余計なことをいったかなと思った。上品な老婦人にしては、保身に偏り（かたよ）すぎた物言いだったかもしれない。しかし警部たちは特に不審には思わなかったようすで、「別に内部犯行と決めているわけではありませんよ」と白々しいことをいった。

質問がひと段落したようなので、私は二人に茶を入れてやることにした。恐縮しながらも、二人は湯のみ茶碗に手を伸ばした。

「さすがにいい茶碗を使ってますな」

ひと口飲んでから矢崎は茶碗を持ち上げていい、そのまま視線を私に移した。「そういえば本間さんは、かつて茶道を教えておられたことがあるそうですね」

「えっ、ああ……昔のことです」

そういう話を本間夫人から聞いたことはある。しかしなぜこの男がそんなことを知っているのか。すると心を読んだように彼はいった。

「失礼ながら、前橋の方に照会させていただいたのです」

「ああ、それで……」

この半年間、本間夫人は近所の者とも顔を合わせていない。その点を怪しまれてはいないだろうか。

「茶道は私も少しだけやったことがあります。奇麗な泡をたてるのが苦手で、なかなかうまくいきませんでした」

「ああ、あれは私も最初は苦労しましたよ」

適当に話を合わせると、「そうですか、じゃあ私にできなくても仕方がないな」と矢崎は茶碗の中で茶筅（ちゃせん）を振る真似をした。

「由香さんのお母さん……紀代美さんの事情聴取も終わったのですか」

話題を変えることにした。

「ええ、まあ何とか」

警部は高野刑事と顔を見合わせた。やはりかなり苦労したらしい。

「何か手掛かりになるようなことはございました？」

「いや、これといったことは。強いていえば、睡眠薬のことですかな」

「睡眠薬？」

「由香さんが、眠れないと困るから睡眠薬をくれといってきたそうです。紀代美さんは旅行には必ずお持ちになるそうで、一回分渡したとおっしゃってました」

「へえ……」

由香は何のために睡眠薬を求めたのだろう。私が黙ると、考えを見抜いたように、「もしかすると、本間さんに飲ませるつもりだったのかもしれませんな」と警部はいった。「あなたを眠らせて、遺書を盗みやすくしようというわけです。どうやらその必要はなかったようですが」

「年寄りは早寝ですから」

私は苦笑いしてから、「警部さんは半年前の心中事件と今回の事件とは、関係があると考えておられるのですか」と訊いてみた。

彼は茶碗を置くと、大袈裟な動作で腕を組み、唸り声をあげた。

「あるかもしれない、と今は思っております。これは本間さんだからお話しすることなのですが、じつは心中事件が起きた時にも、警察内部には疑いを抱く意見があったそうなのです。もう少し背景を調べるべきではないか、何者かの陰謀ではないか、というような意見がね。しかし結局うやむやのまま終わってしまったというのが実情です。唯一の生き証人である桐生枝梨子さんからも、無理心中説を覆すような証言は出ませんでしたし、そのうちに彼女が自殺を計ってしまいましたから」

「もし今度の事件と関係があるとすれば、どういったものでしょうか」

「さあ」と警部は首を捻った。「妥当な考えとしては、藤森曜子さんがおっしゃったように遺産目当てという共通項があります。しかしどうも推理がうまく嚙み合わない。あちらを立てればこちらが立たずといった状況でね」

私と同じ迷路に警察もはまりこんでいるらしい。私の方が圧倒的に有利であることはいうまでもないが。

「仮にあの心中が偽装としてですね」

矢崎警部は組んでいた腕をほどき、こちらに身を乗り出してきた。「犯人はなぜ心中にする必要があったのでしょうな。桐生枝梨子さんを殺したいのであれば、単なる自殺に見せかけたっていいはずだ。自殺でなくて事故でもいい」

「さあ、それは……」

鋭いところをついてくる。私は言葉を濁した。

「何よりも、なぜこの宿を偽装心中の舞台に選んだのか。怪しまれないためには、もっと別の場所、たとえば桐生さんが飛び下り自殺をした崖などを選んだ方が確実ではないか」

熱っぽい口調で畳みかけるようにいったあと、警部は自嘲気味の笑いを浮かべた。「おかしな話です。過去の事件の方に夢中になっている。とにかく今回の事件を解決することが肝心なのですが」

「きっとそのうちにヒントが得られますよ」

「だといいのですがね」

警部は高野に目くばせし、立ち上がった。「長々とありがとうございました。また何かお尋ねするかもしれませんが、よろしくお願いします」

「ええ、いつでもどうぞ」

警部たちが出ていったあと、私は彼が口にした疑問のことを思い出した。犯人はなぜこの宿を偽装心中の舞台に選んだのかという疑問だ。

それはここが、父と子の出会いの場所になるはずだったからだ。

幸福の日々を味わっていた頃、一方では悲劇が近づきつつあった。高顕氏の容体が急速に悪化してきたのだ。私はジローに頼んだ。あなたのことを彼に報告させてほしい、と。

「近々、一ヶ原家の人々の集まりがあるわ」と私は彼にいった。「回廊亭という宿に、皆で泊まるの。一ヶ原さんは、できればその時に自分の子供のことを紹介したいのだと思う。だからその前に報告しておきたいのよ」

ジローは迷っていたようすだ。反発していても、やはり父親に会いたいに違いないのだと私は確信した。

「わかった、会うよ」

長い沈黙の後で彼はいった。私が頬を緩めると、「ただし」と続けて、「事前に報告するのはやめてくれ。僕が直接会いに行く」

「どうやって会うの？」

「その親戚で宿に泊まった時、部屋を訪ねていく。不意をついてやるのさ。枝梨子さんはその手引きをしてくれないか」

「それは構わないけど……」

「よし決まった」

彼は気合いのこもった声でいうと、左の掌を右の拳で打った。

当日の夜、私は部屋のガラス戸の鍵をあけておいた。彼がいつでも入ってこれるようにだった。私は布団に入って瞼を閉じたが、興奮してとても眠るどころではなかった。素敵な悪戯を思いついた子供の気分だった。

しかしその夜私を待ち構えていたのは、想像もできぬ悲劇だった。

ジロー、私のジロー。

彼を奪われた恨みは、私自身の手で晴らすのだ。

二十三

夕方まで部屋にいると、小林真穂が呼びに来た。食事の用意ができているという。

「女将さんが作ってくださったのですか」

私は驚いて訊いた。今日は料理人が来ていないはずだ。

「いいえ、お寿司を取ることにしました。蒼介さんたちがそうしろとおっしゃったものですから……申し訳ございません」

「いえいえ」と私は手を振った。「私なんぞは、お茶漬けでもよかったんですよ。でもせっかくですからいただきましょう」

昨夜夕食をとった部屋に、寿司が用意されていた。すでに席についている者は食事を始めている。それが無礼という雰囲気でもなかった。

「警察は帰ったのかしら」

早くも寿司桶を空にしている加奈江が、湯のみ茶碗を手にしていった。

「警部さんの姿はなかったわね」と曜子が応じる。「捜査本部に戻ったのかもしれないわ」

「庭にまだ刑事が残ってたよ」と蒼介。「よくやるよ、彼らは。あの馬力と執念には頭が下がる」

「それで犯人を捕まえてくれれば文句ないんだけれど」

曜子が嘆息した。

古木弁護士と鰺沢弘美がやってきて席についた。

「すみませんなあ、先生まで足止めして」

蒼介が一族を代表して謝罪した。いやいや、と老弁護士は笑顔で答える。

「今夜はどうされるんですか」と直之が訊いた。

「従業員用宿舎の方に泊めてもらいます。刑事も何人かそうするようです」

「あらあ、こちらにお泊まりになればいいのに。そうしなさいよ」

加奈江が鰺沢弘美に向かっていった。いつの間にか親しくなったらしい。

「ありがとうございます。でも刑事さんは、そうさせたくないみたいですから」

「どうして?」

「たぶん容疑者だけを隔離しておきたいのよ」

曜子が刺のある口調でいう。「まっ」と加奈江は目を大きくした。

例によって紀代美の姿だけがなかった。ぽつんとひとつだけ残っている寿司桶を見て、「持っていってあげた方がいいんじゃないかな」と直之が小林真穂にいった。

「あっ、待ってちょうだい。私が持っていきます」

立ち上がりかけた真穂を制し、私は紀代美の寿司を引き寄せた。紀代美から話を聞き出すチャンスだと思ったのだ。

「いえ本間様、これはわたくしが」

「女将さんは皆さんのお世話をしてさしあげてくださいな。大丈夫、このくらい持てますから」

「あら、おばさま。だったらあたしが持っていきます。だって、あたしはもう全部食べちゃったんですもの」

加奈江が勢いよく立ち上がった。

「いや、加奈江ちゃんは行かない方がいいな」と蒼介がいった。「由香さんのことを思い出してしまうだろう。それに今紀代美さんは、我々全員に疑いを持ってる。疑ってないとすれば、本間さんだけかもしれない」

真実をついているだけに、反論する者はいなかった。恐縮している真穂に目で頷き、寿司桶を持って部屋を出た。

食事を持ってきたのが私だったので、紀代美は少し驚いたようだ。食べたくないと断わるかもしれないと思ったが、意外と素直に寿司を受け取った。

「荷物の整理ですか」

室内のようすを見て私は訊いた。衣類が畳の上に並べられていた。

「由香の荷物を返してもらったものですから」

まだ充血したままの目を、彼女は伏せた。

「あの、少しよろしいでしょうか」と私は訊いた。「お話ししたいことがあるんです」

紀代美は一瞬警戒する目になったが、「ええ、どうぞ」と中に入れてくれた。

部屋の中央にバッグがあり、その中に入っていたと思われる品々が丁寧に並べて置かれていた。殆どが衣類だが、化粧品やアクセサリーの類いも少なくはなかった。

「警察は、これらの荷物から何か手掛かりを摑んだのでしょうか」と私は訊いた。

「さあ、形式的に調べただけだと思いますけど」

警察の捜査能力に疑問を持っている口調だった。

「ねえ、紀代美さん」と私は声をひそめた。「どうお考えになります？　矢崎警部さんは、まるで内部に犯人がいるような口ぶりでしたけど」

紀代美は、はっとした顔で私を見た。だがその目は間もなく仲間を見る目に変わった。この老婆には由香を殺す動機がない、と思い出したのかもしれない。

「身内が犯人でもおかしくないと思いますわ。誰もかれも、お金が第一という人ばかり」

娘を殺された悲しみからか、彼女の言葉に身内を庇う意思は全く含まれていなかった。

「曜子さんを疑っておられましたね」

私がいうと、紀代美は顔を歪めた。

「今一番お金が必要なのは、あの人のところですから。旦那さんの仕事の事情で……。でも大した根拠があったわけじゃないんです。少し興奮していました」

「由香さんが私の部屋に来て、桐生さんの遺書を持っていってしまったことについては、どうお考えですか」

「それは全くわかりませんわ」

紀代美は苦痛そうに眉を寄せ、ゆらゆらと頭を動かした。「何かの間違いだとしか思えません。狐につままれているような気分で」

「例の心中事件の際には、紀代美さんもこちらにいらしたのですね」

「ええ」と彼女は顎を引いた。

「事件の後で、由香さんは何かおっしゃらなかったですか。あるいは、ちょっとようすがおかしかったとか」

「そういうことを、警部さんからも訊かれました」

紀代美は不快な表情を隠さなかった。「でも本当に何の心当たりもないんです。あたしが鈍感だったわけじゃないと思います。火事に遭ったということで、その時は興奮していましたけど、すぐに元に戻りました。その後は話題に上ることもありませんでしたし、正直なところ、あたしもあの子も忘れかけていたぐらいなんです」

本当だろうか。紀代美が嘘をいっているようには見えないが、由香がどうだったかはわからない。

「ああ、早くこんなところから出ていきたいわ。由香のお葬式だってあるし、あの人たちと顔を合わせてると何だか息が詰まるし……。でもあの中に犯人がいるのだとしたら、逮捕されるところを見届けないと」

紀代美は憎しみと悲しみの入り混じった顔で身悶えした。

この女から訊き出すことはもうなさそうだ。私は腰を浮かしかけたが、その時由香のアクセサリーに目がいった。おや、と思った。

「奇麗な指輪ですねえ」

私が手にとったのは、真珠の指輪だった。わずかにピンクがかっているだろうか、表面には一筋の傷もない。

「それ、最近作ったものなんですのよ」と紀代美がいった。「たまたま上質の真珠が手に入ったので、イヤリングにどうかしらといってたんです。そうしたらあの子、指輪の方がいいといって。真珠なら法事にしていっても構わないし、タイミングよかったわねといってたんですけど、結局一度もはめないまま……」

「さようでございますか」

彼女が声を詰まらせたので、私も神妙な顔で指輪を元の位置に戻した。そうしながら他のアクセサリーに目を走らせ、「もう一つの真珠はどうなさったんですか」と訊いた。

「もう一つ……？」

「イヤリングにという話なら、真珠は二つあったんじゃないんですか」

「ああ」といって彼女はハンカチで目を押えた。「そのうちにブローチにでもしてもらうとかいってましたわ。家に置いてあると思いますけど、あの、それが何か……」

「いえいえ」

私は手を振った。「何でもございません。見事な真珠なものですから、そちらはどのようにされたのかと、野次馬的に気になっただけです。失礼いたしました」

「いいえ」

「それでは私はこれで……」

適当に挨拶すると、部屋を出た。皆のところに戻る途中、私はめまぐるしく頭を働かせていた。今までなぜこんな簡単なことに気づかなかったのだろう。

犯人が母親でなくても、由香にとって極めて大事な人間であるなら、彼女は自分が遺書を盗み出そうとするのではないか。

では大事な人間とは誰か。私の頭に浮かぶのは、昨夜の曜子から聞いた話だ。由香には愛している男がいるということだった。

健彦？　いいや、彼ではない。

それは直之だ。

今朝、彼がネクタイを落とした時のことを覚えている。あの時、真珠のタイタックも一緒に落ちた。タイピンなどしないくせにと曜子がいうと、「貰いものだよ」といって隠すようにポケットにしまいこんだ。

あれは由香からのプレゼントではないのか。先程見た由香の指輪についていた真珠と、タイタックの真珠とは、色や大きさが酷似していたように思える。

真偽を確かめるにはどうすればいいだろう。紀代美の口ぶりからだと、彼女も娘の気持ちには気づいていなかったようだ。加奈江はどうか。いや、期待できない。知っているなら、とうの昔にしゃべっているだろう。健彦は論外だ。

考えがつかぬまま座敷に戻った。皆が紀代美のようすについて尋ねてくる。比較的元気そうでしたと答えておいた。

席について寿司の残りを食べるが、味など皆目わからない。つい視線が直之の方にいってしまう。独身のせいか、まだ三十代半ばに見える。由香ぐらいの年ごろの娘が、憧れるタイプかもしれない。だが叔父と姪の関係では、たとえどんなに愛していても思いが叶(かな)うことはない。由香はどういうつもりだったのだろう。

食事が慌ただしく終わり、各自自室に引きあげる雰囲気になった。私は焦った。何とかしなければならない。

幸い直之は部屋には行かず、ロビーの隅で夕刊を読み始めた。ここでの事件が載っているらしく、眉間に皺を寄せ、食いいるように読んでいる。

ほかには誰もいない。このチャンスを逃す手はなかった。私は意を決すると彼の向かいに座った。彼はちらりとこちらを見たが、すぐにまた新聞に目を落とした。

「直之さん」

この口調が妙に改まっていたからだろう、彼はぎょっとした顔をした。「何ですか」

私は呼吸を整え、あたりに誰もいないことを確かめてからいった。

「由香さんが愛していた男性というのは一体誰なのか、御存じじゃありませんか」

直之の顔から一瞬表情が消えた。双眸の焦点が微妙に揺れ、再び私の顔を捉えるのに何秒間かの空白があった。

「なぜそんなことを？」

彼らしくない動揺の色がある。私は自分の直感に狂いがなかったことを確信した。

「特に深い意味はないのですが……もしかすると今回の事件に関係があるかもしれないと思いましてね」

すると直之は新聞を畳み、あたりを窺うように視線を走らせてから、こちらに身を乗り出してきた。

「わかりませんね。なぜ本間さんがそんなことをおっしゃるのか。それになぜ僕にお尋ねになるのか」

「単なる直感ですよ。それにお尋ねするのは、どなたでもよかったんです。ただ――」

私は愛想笑いを作った。「直之さんなら御存じのような気がして。でもそうでないのなら謝りますわ。どうか気になさらないでくださいな」

立ち上がり、その場を去ろうとした。だが間もなく彼に、「本間さん」と呼び止められた。

私は振り返った。

「そういうことは、ほかの人間にはあまりおっしゃらない方がいいと思います。あなたは事件に関しては部外者なんですから」

暗い顔つきで彼はいった。

「ええ、わかっております。もうどなたにもいいませんよ」

それでは、といって私は歩きだした。背中に直之の強い視線を感じた。

二十四

自室に向かって長い回廊を歩いた。落ち着いたふりをしているが、心臓の鼓動は激しく、足運びは無意識のうちに速くなっていた。

間違いない、由香は直之のことを愛していたのだ。そして彼もそのことを知っていた。そうでなくては、あれほどの動揺を見せるはずがない。

直之が犯人と考えれば、すべての辻褄が合う。

彼が偽装心中事件の犯人であることを、由香は知っていたとする。桐生枝梨子の遺書の存在を知り、彼女はどう考えたか。何とか奪わなくては、と考えるのではないか。

もちろん直之が何もしないとは思わなかっただろう。彼自身が盗もうとすることを、彼女は予期していたに違いない。しかし彼女は自分がその仕事をしようと考えた。直之と同じ秘密を共有することで、二人の結びつきを強めようとしたのだ。

二つの証言が思い出される。ワインと睡眠薬の話だ。

自分の手で遺書を盗むため、由香は直之を眠らせておく必要があった。そこで母親から睡眠薬をもらい、それをワインに入れて直之に飲ませたのだ。小林真穂がワインの栓を抜いてやるといったのを断わっておきながら、わざわざ直之の部屋へ行った点もこれで説明がつく。

さて、ではなぜ由香は殺されたのか。

直之の立場になって考えてみる。睡眠薬の効力がどの程度のものかは不明だが、もし仮に夜中に彼が目を覚ましたらどうだろう。彼はそれからでも遺書を盗みに行こうとするだろう。そしてその時に由香の行動を目撃したらどうだ。

あるいは回廊で出会ったとしたら。由香は遺書を盗んできたことを直之に報告するのではないか。

いずれにしろ直之は、彼女が真相を知っていたことに気づくことになる。由香は彼を愛していたが、彼は彼女のことを何とも思っていない。秘密を守るため、彼女を殺すことにした——。

じつに通りがいい。無理のない推理だ。そして由香は死ぬ直前、直之の名をダイイングメッセージとして残した。『N』はやはりNの誤記、直之の頭文字と考えるべきだろう。

唯一引っ掛かる点といえば、直之に対する私の印象だった。彼がそのようなことをする人間だとは、今まで想像したこともなかった。

いや、と私は頭を振る。そんなことで迷ってはいけない。騙されてはいけない。これ以上完璧な推理は、どう逆立ちしたって不可能ではないか。

復讐を決行しよう。直之を殺すのだ。残された時間はあとわずかしかない。

歩きながら、私は作戦を練った。どうすればうまくいくだろうか。やはり寝こみを襲うしかあるまい。首に紐を巻きつけ、思いきり引っ張れば、体力のある直之といえども大した抵抗もせずに死に到るだろう。

問題は刑事たちの監視がどの程度かだ。仄聞するところでは、建物の周りや玄関ホールにいるだけで、部屋の方までは見回ったりしないということだが、矢崎警部が何を考えているかはわからない。はっきりと確認しておく必要がある。場合によっては、作戦の立直しを迫られるかもしれない。

時計を見ると八時少し前だ。皆が眠りこむまでには、まだかなり時間がある。

『ろ』の棟から『い』の棟に向かう廊下の途中、私は足を止めた。そこにほっそりとした人影があったからだ。相手も私に気づいて会釈した。

鰺沢弘美だった。

「私に何か御用ですか」

精一杯の笑顔で尋ねる。弘美も自然な微笑みを返してきた。

「いえ、ちょっと見学させていただいていただけです」

「そうですか」

何を調べているのだろう、やはり由香殺しについてだろうか。

弘美があまり真っすぐに見つめてくるので、私はついうつむき加減になる。

「疲れたとおっしゃってたから、もう部屋に入っておられるのでしょう。何か御用なら、お伝えしておきますけど」

「あの、古木先生は？」

「いえ、別に何もございません。それではおやすみなさいませ」

私は下を向いたまま弘美の横を通り抜けた。

「ええ、おやすみなさい」

弘美も私とは逆の方向に歩きだした。私は立ち止まり、振り返った。

胃がまた少し痛んだ。

二十五

不吉な風のごとく矢崎警部たちがやって来たのは、九時を少し回った頃だった。私はポットに湯をもらって、部屋に戻ろうとしていた。じつは厨房から凶器になりそうなものを盗みだそうと思っていたのだが、小林真穂の目があり、叶わなかったのだ。

警部は真穂に、健彦を呼んでくるよう指示した。その声には昼間とは違った凄みのようなものが含まれていた。

「健彦さんがどうかしたのですか」

尋ねてみたが、警部は、「いえ、ちょっと」と硬い口調で答えただけだった。

間もなく青い顔をした健彦がロビーに現われた。その後ろには父親の蒼介もついている。矢崎警部は眉を寄せた。

「申し訳ありませんが、健彦さんだけからお話を伺いたいのですが」

「なぜですかな」

蒼介は少し色をなしたようだ。「健彦だけとはどういうことですか。各自からの事情聴取ということであれば、今朝がた終わったはずではないですか」

「それほど深刻にお考えにならないでください。あるいは健彦さんのプライバシーに拘るかもしれないと思い、このように申し上げているのです」

言葉遣いは丁寧だが、妥協のない響きだった。

「意味がよくわかりませんな。なぜ健彦のプライバシーが関係してくるのです」

負けずに蒼介もいい返す。その声はやたらに大きく、ちょうど部屋を出てきた加奈江が、びくっと身体を硬直させて止まった。

「僕には別に疚しいところはありません。何か訊きたいなら、ここでも……」

ややうつむき加減で健彦もいった。声には父親ほどの勢いがない。

「仕方がありませんな」

矢崎警部は吐息をついた。「じつはあなたの指紋が検出されたのです」

「どこからです」と蒼介が訊いた。

「由香さんの部屋のガラス戸の外側からです。何者かが拭き取った形跡があるのですが、あなたの指紋だけは辛うじて確認されました。その点について説明していただきたいのです」

警部がいうと、それまで庇っていた蒼介までもが健彦を注視した。健彦は唇を固く結び、せわしなく瞬きした。

「どうしたんだ、なぜ話さない。庭を散歩した時に、たまたま由香さんの部屋のガラス戸に触れた——そんなところなんだろう」

教師に叱られる子供を庇う親そのままに、蒼介は息子にいった。だが警部の乾いた声が続いた。

「昼間皆さんに、昨日庭に出たかどうかをお尋ねしました。健彦さんは出なかったとおっしゃってたはずです」

蒼介は息を吸いこんだままで、吐くのを忘れたようだった。

「わかりました」

やがて健彦の口から声が漏れた。「御説明します。どこかほかの場所で……」

「健彦っ」

「結構ですな。では例によって事務所の方でお願いします」

矢崎警部は健彦を促した。蒼介が声をなくして立ちすくむ中、健彦は警部と高野刑事に挟まれるようにしてロビーを出ていった。

先程の蒼介の声が届いたのか、直之や曜子も現われた。成り行きをすべて見ていた加奈江が、彼らに事情を説明した。

「健彦君が？」といったきり、直之は黙りこんだ。その沈黙の意味を私は考えた。警察が自分以外の人間に疑いを抱いていると知って安堵したのか、純粋に甥のことを心配したのか、表情からは読みにくかった。

蒼介は熊のように歩きまわっていた。何度も何度も時計を見る。約三十分後、彼の息子は放免されて戻ってきた。異様に赤い顔をしていた。

「健彦、どうだったんだ」

だが彼は答えず、駆け足で私たちの間を横切ると回廊に消えた。蒼介は後を追った。

高野刑事が入ってきて、直之を呼んだ。次は彼に用があるのだという。

「僕にですか……はい、わかりました」

さほど意外といったふうでもなく、彼は高野の後についていった。その平然とした態度からは、犯人らしさなど微塵も感じられなかった。本当に彼がそうなのだろうか。私はまた迷い始めていた。

紀代美が現われて、氷がほしいと小林真穂にいった。少し熱っぽいので、額を冷やすのに使いたいのだという。

「じゃあ氷枕を御用意いたしましょうか」

「いいのよ、氷だけで。ビニール袋に入れて、氷嚢みたいにして使うから」

真穂が厨房に引っ込んだので、紀代美は私たちを見た。彼女は何が起きているのか知らない。私は簡潔に現在の状況を述べた。彼女は無表情に、そうですかといっただけだ。もはや静かに犯人逮捕を待つのみといった心境なのだろうか。

真穂がアイスペールを持って戻ってくるのとほぼ同時に、直之が帰ってきた。高野刑事も一緒だった。高野は私を見て、「本間さん、お願いします」といった。予期していないことで、私は驚いた。

「私ですか」

「そうです。お願いします」

私はちらりと直之を見た。彼はなぜか申し訳なさそうな顔で、目で頷いた。

矢崎警部は別の刑事と何やら打ち合わせのようなことをしていた。メモを見て、しきりに頷いている。その部下を退室させてから、警部はこちらを見た。

「いや、どうも失礼」

「何かありましたか?」と訊いたのは、高野刑事だった。警部は私のことをちょっと気にしたようだが、差し支えないと判断したらしく、「鑑識から髪の毛のことについていってきた」と答えた。「一ヶ原由香さんの部屋からは、本人以外の髪が四種類見つかっている。うちひとつは部屋を掃除した従業員のものと一致したから、除外してよい。残り三種類について、誰が該当するか確かめてくれ」

警部はメモを高野に渡した。高野はそれをしばらく見ていたが、「これによると全員女ですね」といった。「すると藤森曜子、加奈江、一ヶ原紀代美、小林真穂の中の誰かが該当することになる」

そういってから彼は私を見て、「ああ、本間さんが対象外というわけではないのですが……」

と、あわてて取り繕った。

「いいんですよ。見つかったのは、すべて黒い髪だったのでしょう」

「すみません。じつはそうなんです。――じゃあちょっと調べてきます」

高野はメモを持ってロビーに向かった。

「髪の毛から性別もわかるんですか」と私は矢崎警部に訊いた。

「わかります。散髪からの経過日数だってわかりますよ」

「へえ……」

「それからおおよその年齢も推定できます。ベテランにかかると、かなり正確です」

「年齢まで」

高野が最初から私を除外した理由がわかった。推定年齢六十から七十歳という毛はなかったのだろう。

「あの警部さん、ところで私に用というのは？」

「そうでした」

警部は腰を浮かせると、こちらに椅子をずらして座り直した。「じつは確認させていただきたいことがあるのです。あなたは、由香さんが一ヶ原直之さんを愛していたのではないかという考えをお持ちのようですが、それは事実ですか」

突然全く予期しない質問が出てきたので、私は面食らった。警部は頷いた。

「直之さんからお聞きしたのです。つい先程、あなたと直之さんとの間でそういうやりとりがあったらしいですな。直之さんによると、明言されたわけではないが、本間さんは由香さんの気持ちをなぜか御存じらしいということですが」

ということは、直之は由香とのことを白状したということか。なぜそんなにあっさりと吐いたのだろう。いやそれ以前に、なぜそういう方向に話が進んだのか。

「どうなんですか」と警部は重ねて訊いた。

私は真珠の指輪とタイピンのことを話し、そこから二人の関係を察したのだと説明した。それを聞くと警部は、さすがに女性は目のつけどころが違うなどと、見えすいたお世辞をいった。

「あのう、それが事件とどのように関係しているのでしょうか。由香さんの部屋から健彦さんの指紋が見つかった件と、何か関わりがあるのでございますか」

本来はそのことを調べるのが目的だったはずだ。すると警部はもったいをつけるように、ゆっくりと手帳をしまうと、「それがじつにおかしな話でしてね」と話しだした。

「健彦さんがいうには、夜中に物音がしたので、由香さんの部屋に誰かいるのではないかと心配になって見に行ったということなのです」

「どんな物音ですか」

「畳の上に何か落としたような鈍い音、ということですな。それほど大きく聞こえたわけではなかったらしいですが、たまたまその時目を覚ましていた健彦さんは、それが気になってならなかった。というのも、気にせざるをえない事情があったからです。その事情というのは、直之さんのことでした」

私は、はっと息を飲んだ。

「昨日健彦さんは、由香さんから直之さんに対する気持ちを告白されたらしいですな。それはもうかなり激しい思いだったそうです。直之さんのためならどんなことでもできるのだと、そういう意味のことをいわれたということです。普通の男なら、ここまでいわれれば諦めるものですが、健彦さんはそうではなかった。とにかく二人の仲が急進展するのだけは防ごうと考えたわけです。お二人の部屋は近い。もしかしたら夜中に直之さんが由香さんの部屋に行くのではないか、そういう心配をしていたのだそうです」

「何とまあ」

健彦が考えそうなことだと思い、私は顔をしかめた。

「それで物音が耳に入ってからは、いても立ってもいられなくなり、部屋を出てようすを見に行くことにしたのだそうです。まずは廊下に出て、直之さんが部屋を出ていないかどうかを確認し、その後庭を回って由香さんの部屋を覗こうとした。障子の開いているのが気になったが、ちょっと見たところ変わったようすもなさそうなので、安心して部屋に戻ったということです。ガラス戸の指紋はその時についたのだろうといっています。翌朝死体が見つかって大騒ぎになった時、自分の指紋が見つかったら言い訳できないと思い、こっそりガラス戸を外から拭いたらしいです。しかしあわてていたんでしょうな、指紋がひとつだけ残っていた」

「健彦さんが夜中に起きたというのは、何時頃のことなんでしょう」

「三時頃、といっています」

こういった時、警部の目がきらりと光ったようだ。彼は声を低くして続けた。「もしこの話が事実であれば、かなり有力な情報といえるでしょうな。まず健彦さんが聞いた物音というのは、犯人が発したものではないかと考えています」

私は舌打ちをしたい気分だった。物音とはあれに違いない。由香が殺されていることに気づいて、私が思わず尻もちをついた音だ。するとあの後聞こえた、向かいの部屋から誰かが出る音は、健彦によるものだったのか。てっきり直之の部屋から聞こえたのだと思ったのだが。

「そして健彦さんが一旦廊下に出て、その後庭に出るまでの間に、犯人は由香さんの部屋から逃走したと思われます。つまり健彦さんが見た時には、由香さんは殺された後だったのです。障子が開いていたのは、そのせいでしょう」

すると危ないところだったのか。もし脱出するのが少しでも遅れていれば、健彦に目撃されていたかもしれないのだ。

「ところでちょっとお尋ねしてもよろしいでしょうか」と私はいった。

「何ですかな」

「健彦さんは、直之さんが部屋を出ていないかどうか確かめたということでしたが、どのようにされたのですか」

「ああ、その点ですか。それがなかなか面白いのです」

矢崎警部は再び相好を崩した。「眠る前に、健彦さんは直之さんの部屋のドアに仕掛けをしておいたのだそうです。その仕掛けというのは、髪の毛を一本、ドアの合わせ目に唾ではりつけておくというものです。もしドアを開閉すれば髪の毛が落ちてしまうから、夜中に部屋を出たかどうかチェックできるというわけです。失礼だが、思わず笑いましたよ。いくら好きな女性のことが心配とはいえ、そこまでやるものかとね」

「それで健彦さんが見た時、髪の毛はどうだったのですか」

「無事残っていたそうです」

警部はにやにやしながら答え、そしていった。

「皮肉なものですな。健彦さんの話が事実なら、その髪の毛のおかげで直之さんは嫌疑を免れることになる。由香さんが殺される時刻まで、部屋を出ていないことが証明されたわけですから」

二十六

話が終わったので、私と矢崎警部は揃って事務所を出た。警部は自分の胃袋の調子がよくないことなどを話しているが、私は殆ど上の空だった。さっき警部の話を聞いた時から、頭の中は乱れ、思考の収拾がつかなくなっていた。

由香を殺したのは直之ではない。

昨夜彼の部屋のドアが一度も開けられなかったということは、そういうことだ。

そうなると話は振り出しに戻ってしまう。直之は心中事件についても無関係ということになる。

いや心中事件の犯人はやはり直之で、今回の由香殺しとは別なのか。

それはない、と私は打ち消した。今回の犯人は桐生枝梨子の遺書を奪うために由香を殺したに相違ないのだ。そして遺書を奪わねばならない人間とは、心中事件の犯人だ。

私が復讐すべき人間だ。

それは直之ではなかった。

だがこうなると由香が遺書を盗みだした理由を説明できない。他に彼女が庇おうとするだけの人間がいるだろうか。

気になるのは、健彦の話だ。直之のためなら何だってできると由香はいったという。そして一連の行動から見て、由香が直之を心中事件の犯人と考えていたことは確実ではないか。

しかし事実はそうではなかった。ではなぜ彼女は直之を犯人だと思ったのだろう。

ロビーに戻ると、高野刑事が関係者を前にして難しい顔で立っていた。健彦と紀代美だけがいなかった。

「警部、髪の毛ですが……」

「どうなった？」

「ええ、それが、二種類の髪についてはわかりました。藤森加奈江さんと、小林真穂さんのもののようです。血液型や髪の長さなども一致します。念のために鑑識で確認してもらいますが」

「そうか。で、残る一種類は？」

「それが……該当者がいないのです」

高野はメモを取り出した。「性別は女性、血液型はAB型、年齢は二十代か三十代、ショートカットで最近髪を切った形跡あり――これに当てはまる人がいないのです。念のために、健彦さんと紀代美さんにも尋ねましたが、二人とも血液型が一致しません」

「なに……」

矢崎警部は絶句し、高野からメモを奪うようにした。それから一同にいった。「AB型の人はいませんか」

「私だよ」と蒼介がいった。「散髪にも最近行った」

しかし女性でもないし、二十代や三十代でもない。警部はいまいましそうに高野を振り返った。

「鑑識に確認してくれ。性別と推定年齢がどの程度正確か」

跳ねるような格好で高野刑事はロビーを飛び出していった。私は顔色が変わりそうになるのを抑えようと、必死で努力していた。問題の髪の特徴は私の髪、本当の私の髪そのものだった。

「何もそんなに難しい顔をすることはないんじゃないですか」

直之が警部にいった。「該当者はこの中にはいない。それはつまり部外者が由香さんの部屋に侵入したことを示している」

「もし本当にいないのなら、そうなりますな」

渋々といった感じで警部は頷く。内部犯という見方を強めていたからだろう。

「女性とはね」

曜子が黒目をくるりと回した。「いろいろな人間がいるものだわ」

「女が強盗をしないという保証はないさ。美女強盗というのが、時々新聞に載るじゃないか。

男を誘い、睡眠薬を飲ませて金を奪うというやつだ」

蒼介が軽口をいう。外部犯の可能性が出てきたということで、関係者の間に漂っていた重い空気が幾分取り除かれたようだ。ただ一人矢崎警部だけが苦い顔だ。

「あの髪が犯人のものとはかぎりません」

緩んだ空気に水をさすように警部はいった。「以前の泊まり客の髪が残っていたのかもしれない」

「いいえ、それはありません」

珍しく小林真穂が声を上げた。「いつもきちんと掃除しています。そんなこと、絶対にありえません」

「しかし」といって警部は口を結んだ。この点では真穂に分があるとわかっているのだろう。その代わりに、「まあ、鑑識結果がいつも正しいとはかぎりませんから」と別の方向から釘をさした。

高野刑事が戻ってきた。彼は少し困ったような顔で警部にいった。

「問題の髪ですが、性別も推定年齢もかなり高い確率で的中しているはずだということでした」

矢崎警部は明らかに渋い顔をし、関係者は勝利したような晴れやかな表情をした。

「ちょっと失礼」

警部は高野を連れて出ていった。他の部下に周辺の聞き込みでも命じるのかもしれない。こうなっては内部犯行説にばかり拘るわけにはいかないだろう。

「女とはな」

蒼介が曜子と同じようにいった。「これで由香さんに乱暴の跡がないことも納得できる。犯人の狙いは金だけだったんだ。しかしそういう輩が出没するとなると、このあたりもあまり良い環境とはいえんようだ」

「健彦さん、物音を聞いたんなら、もっと早く出て行ってあげればよかったのに」

そういってから加奈江は、私が事情を知らないと思ったか、「夜中の三時頃、由香さんの部屋から物音が聞こえたので、窓からようすを見ようとしたんですって。指紋はその時についたそうです」と教えてくれた。息子から話を聞いた蒼介が、皆にはこのように簡略化して説明しているのだろう。由香への想いや、直之を監視していたことなどは、まさかしゃべるわけにはいくまい。

「今夜は特に用心しないとね。戸締まりをきちんとして」と曜子。

「まさか続けて忍びこむ強盗がいるとは思えんが、用心に越したことはないな」

妹の言葉に少し頬を緩めたあと、蒼介は小林真穂を振り返った。「少し喉が渇いたな。コーヒーでも入れてくれませんか」

「かしこまりました」

「いいわ、あたしが入れてきます」

加奈江が立ち上がった。「女将さんは今朝から働きづめでしょ。少しは休んでらして」

「そんなとんでもない」

「いいから、いいから」

加奈江がさっさと厨房に向かうのを、真穂は後から追いかけた。

「どうしたのかしら、急に良い子になっちゃって」

いいながらも、娘の気のつきぶりが曜子には誇らしいようすだ。

「由香さんがいなくなったからね、責任感みたいなものが出てきたのかもしれない」

直之の言葉に皆が頷いた。

間もなく加奈江がトレイにコーヒーカップを載せて戻ってきた。真穂は菓子を持ってきた。

「評判がいいよ。気がきくといってね」

蒼介が冷やかすと、加奈江は少し膨れた。

「あたしだって、この程度のことはしますわ。一応女なんですから」

「一応はよかった。お茶とお華は続けているのかね」

「辞めたのよ、お茶の方」と曜子がしかめっ面で答えた。

「辞めてないわ。少し休んでいるだけ」

コーヒーを各自に配りながら、加奈江は口をとがらせた。

「お茶といえば、本間さんはずっと茶道を続けておられたそうですね」

直之が余計なことをいう。私は控えめに返事した。あまり長びいてほしくない話題だと思ったが、「裏ですの？」と曜子が尋ねてきた。裏千家かという意味だ。私は少し躊躇した。どちらなのだろう？ 誰も知らないのなら、適当に答えてもよさそうなものだが——。

「表千家でしたよね、たしか」

その時私に代わって直之が答えた。「兄から聞いたことがあるんです。本間さんの奥さんは、表千家の茶道を教えておられたことがあると」

余計なことを知っている男だ。しかし、うっかり答えずに助かった。私は頷いた。

「ええ、そうです。表です」

「表と裏って、お茶のたて方に違いがあるんですか」

私の気持ちに反して、加奈江が新たな質問を仕掛けてきた。するとここでは曜子が救ってくれた。

「まあ、あなたそんなことも知らないの」

「じゃあママは知ってるの？」

「もちろんよ」

曜子はコーヒーを一口啜ってからいった。「裏千家では泡が奇麗にたつようにするけれど、表千家では殆ど泡をたてないようにするの。そうでしたわよね」

かっと頭に血が上った。知らないことだった。私は昼間、矢崎警部と話した時のことを思い出した。奇麗に泡をたてるのが難しくて、などといってしまったではないか。

「違いましたかしら?」

私が黙っているので、不安そうに曜子がいった。

「いいえ、そうです。そのとおりです」

全身から汗が吹き出しそうだ。そのくせ背筋は寒い。

「おや、矢崎さん。どうなさいました?」

蒼介の声に、どきりとして顔を上げた。矢崎警部が入ってくるところだった。いつからそこにいたのだろう。今のやりとりを聞いていたのだろうか。

一瞬目が合った。彼が私を見る目には、明らかに今までとは違う、鋭い光が宿っているようだった。

二十七

自分たちは一旦捜査本部に帰るが、捜査員が周辺を見回っているので安心して休んでください、というのが警部の言葉だった。だが本心は、だから無闇に外を出歩いたりせず、部屋でおとなしくしていろということなのだろう。

警部が出ていった後も、私は気になって仕方がなかった。彼は茶道の話を聞いただろうか。聞いていたなら、当然私の言葉の矛盾にも気づいたはずだ。

皆は自室に引きあげ始めた。仕方なく私も腰を上げたが、そこへ直之が歩み寄ってきた。ばつが悪そうに目を眇めている。

「先程本間さんから尋ねられた時、由香さんとのことをはっきり申し上げなかったため、却って御迷惑をおかけすることになりました。申し訳ありません」

「いいえ、迷惑なんてことはありませんよ」

直之がそばのソファに座ったので、私ももう一度腰を下ろした。

「でもなぜ本間さんは由香さんの気持ちを察知なさったのですか」

いかにも不思議そうに直之は訊く。真珠のアクセサリーのことを話すと、その顔が苦笑に変わった。

「なるほど。さすがに女性は目のつけどころが違うな。でも気づいたのが本間さんでよかった。ほかの人間だと、少々話が厄介ですからね」

「御心配なさらなくても、誰にも話しませんわよ」

「そう願います」

直之は頬を引き締めると、どう説明すべきか考えるように少しの間瞼を閉じていた。それから目を開け、告白を始めた。「彼女の気持ちを最初に聞かされたのは半年ほど前です。そう、例の心中事件が起きる直前でした。相談に乗ってほしいことがあるからというので、二人で会いました。話というのは、健彦君のことです。婚約者気取りだけれど、自分にはそんな気は全然ないので、僕の方から話してくれないかという内容でした。僕はそういうことは直接いった方が彼の気持ちを傷つけずに済むと忠告したのですが、彼女は気が進まないといいます。自分が何をしゃべってしまうかわからないというんです。一体何をしゃべるんだと訊いたら……」

「直之さんを好きだということ――そうおっしゃったのね」

「そういう意味のことです」

直之はため息をついた。

「かわいい人」

「最初はからかわれてるんだと思ったのですが、どうやらそうではないらしい。正直弱りました。何しろ僕はそういう目で彼女を見たことがありませんからね」

「でしょうねえ」

「そういう気持ちは一時的なもので、時が経てば熱が冷めるといいましたが、彼女はわかってくれません。結婚できなくてもいいからなどといい出す始末で……」

一見おとなしそうでも、由香にはそういうところがあったのかもしれない。放胆に見える加奈江の方が、案外保守的だったりするのだ。

「それでどうされたのですか」

「どうもしません」と直之は肩をすくめた。「なるべく彼女には会わないようにしようと心がけただけです。会わなければ、何も起こりませんから」

「でもそれでは由香さんの気が済まないでしょう」

「そのとおりです。だから何度も電話をかけてきたりしました。僕も決して彼女を憎いわけじゃないから、会いたいといってくるのを、いつもいつも断わるわけにはいきませんでした。打ち明けますと、彼女と一緒にいて楽しかったことも事実です」

そうだろうと私は頷いた。由香にもプライドがある。嫌われていると感じれば、すぐにでも引き下がっただろう。

「だけど信じてください。僕と彼女の間には、いわゆる男女の関係はありませんでした」

「信じますわ」と私はいった。「ネクタイピンは彼女からのプレゼントですね」

「昨日、こちらに来てから彼女がくれたんです。自分も同じ真珠を使った指輪をはめるから、僕にもこのタイピンをしてほしいということでした。受け取りたくはなかったのですが、下手に揉(も)めて人に気づかれたら拙(まず)いと思ったので、敢えて拒みませんでした」

「いい形見になったじゃないですか」

「結果的にはそうです。皮肉な話ですが」

笑おうとしたのか、直之の頬がひきつったようになった。

「ところで」と私は語調を沈めた。「由香さんが例の遺書を盗んだことを、直之さんはどうお思いになります？」

虚をつかれたように彼は一瞬身をひいた。それから唇を噛むと、思い悩むように天井を見上げたり深呼吸したりした。

「本間さんには」と彼はためらいがちに切りだした。「何か考えがおありですか」

私は少しもじもじして見せた。「ねえ、お怒りにならないでくださいね。これは私の勝手な想像なんですから。じつは私、由香さんは直之さんを庇うために遺書を盗んだのじゃないかと思ったんです」

どのような反応を示すかと思ったが、意外にも彼は平静だった。唇の端をぴくりと動かしただけで、顔色ひとつ変えずに頷き始めたのだ。

「なるほど、本間さんもそうお考えでしたか。じつは僕もそう思っているんです。彼女は僕を偽装心中の犯人だと思っていたんじゃないか、とね」

「あなたも……」

驚きだった。しかし直之の慧眼さを考えれば、ありえないことではない。

「その根拠は、彼女が紀代美さんから睡眠薬をもらったということです。じつは昨夜僕は彼女のワインを飲んだ後、突然意識が朦朧（もうろう）としてしまい、そのまま朝まで眠りこんでしまったのです。たぶんワインに薬が仕込んであったのでしょう。で、なぜそのようなことをしたかというと――」

「ええ、わかります」

私は右手を小さく出して頷いた。「でも警察にはおっしゃらなかったのですね」

「いわなければと思うのですが」

直之は苦渋を浮かべた。由香に対する優しさもあるだろうが、このことから警察の見方が内部犯行説に偏るのを恐れているのかもしれない。

「ただどうもわからない。なぜ彼女が僕のことを犯人だと思ったのか」

そういってから彼は何かに気づいたように私を見た。「本当に僕は心中事件については何も知らないのです。神に誓って本当です。由香さんが殺された件についても、何も知りません」

「わかっております、わかっております」

私は胸の前で手を振った。「それに昨夜あなたが部屋から一歩も出ていないことは、健彦さんが証明してくださったのでしょう」

「あのことですか」

直之は当惑と照れの混じったような表情をした。「健彦君があれほど思いつめているとは知りませんでした。しかしそのおかげで今回は助かりました。変な話ですが」

「由香さんと心中事件について話し合われたことはないのですか」

「特に話し合ったことはありません。昨日までは、自分たちとは直接関係のないことだと信じていましたからね。彼女にしてもそうだったと思うのですが……」

こういって直之は遠くを見る目をしていたが、何かに思い当たったのか、あっというように口を開いた。

「事件直後、彼女が一度だけ妙なことをいったことがあります。火事の前、どこに行ってたの――たしかそんなようなことを訊いたんです。僕がどこにも行ってない、眠っていたんだといったら、じゃあ気のせいかなと首を傾げてました」

「由香さんはなぜそんなことをいったのでしょう？」

「わかりません。その時は何となく聞き流したのですが、何か重要な意味があったのかもしれない」

直之は真摯(しんし)な目を宙に向け、懸命に答えを探そうとしていたようだが、やがて腕時計を見ると身体の力をふっと抜いた。「これはいけない。こんな時刻になってしまった。付き合わせてすみませんでした。後は自分の部屋で考えることにします。どうせ大した考えは出てこないでしょうが」

彼が立ったので、私も腰を上げた。

「直之さんは、今も由香さんを殺した犯人は外部の人間だと考えておられるのですか」

「もちろんです」と彼はいいきった。「由香さんの行動に、複雑な事情が絡んでいるのは否定できませんが、身内の中には犯人はいない――そう信じます」

そう信じたい、というのが本音だろう。しかし私は口には出さなかった。

長い回廊を二人並んで歩く。『に』の棟を通り過ぎたところで、直之がいった。

「それにしても脚がお丈夫ですね」

「えっ?」

「この回廊は年配の方には、長過ぎて疲れると不評なのですが、本間さんを見ていると全くお疲れのようすじゃない。しかも『いの壱』という、最も遠い部屋に泊まっておられるというのに」

「いえいえ、そんなこと」

私は立ち止まると、右腰をとんとんと叩いた。「じつをいうと少々足腰にきております。今夜はマッサージをする必要がありそうです」

「兄の高顕に代わって謝ります」

私たちはまた歩きだした。

直之は、高顕氏がこの回廊亭を作った頃の話を始めた。当時直之はまだ大学を出たばかりで、偉大な兄が山奥に作り上げた奇妙な宿を見て、ただ首を捻るばかりだったという。その設計思想が自然環境を最大限に生かし、自然破壊を最小限に抑えるということだったと知るのは、それより何年も後のことらしい。

『は』の棟に着いた。直之は事件に巻き込んだことを改めて私に詫びた。

「どうぞお気になさらないでください」

「すみません。でも明日は必ず解決します。僕の考えでは、犯人はまだ周辺に潜伏していると思うのです。日本の警察は優秀だから、きっと見つけだすでしょう。明日こそ」

「ええ、明日こそはきっとね」

「ではおやすみなさい」

「おやすみなさいませ」

直之はドアの向こうに消えた。

二十八

直之が部屋に入った後も、私はその場に佇(たたず)んでいた。そして振り返る。すぐ後ろには由香の部屋があった。

彼女はなぜ直之を心中事件の犯人だと思ったのだろう。結果的には勘違いだったわけだが、それにしても何らかの根拠があったからこそ、そう思ったはずなのだ。

そもそも、いつからそのように思いこみ始めたのだろう。

直之の話の中に、引っ掛かることがあった。由香はこういったというのだ。火事の前、どこに行ってたの――。

なぜ彼女はこんなことをいったのだろう。

誤解のきっかけは何か?

私は心中事件について由香と話した時のことを思い起こしてみた。話をしたのは夕食時と、ロビーで食後の茶を飲んだ時だ。あの話の中に何らかのヒントが隠されていないか。

あっと口の中で小さく漏らした。加奈江と由香の、ちょっとした口論を思い出したからだった。

あの時はまず私が、火事の前に誰かが物音を聞いたという証言はなかったかと彼女らに尋ねたのだ。それに答えたのは健彦だ。『いの壱』の部屋で物音がしても、聞こえる人間は限られているといった。すると加奈江がこういい返した。物音のするのが『いの壱』だけとは限らない、もし放火の犯人が内部にいたなら、犯人が自分の部屋を出入りする音を聞いている人がいたかもしれない、と。

そしてこれに対して由香が、彼女らしくない厳しい口調で猛然と反駁したのだ。そんな音ぐらいのこと、何の証拠にもならない——。

考えてみると由香の主張はおかしい。加奈江は証拠云々については、何もいっていないのだ。物音を聞いた者がいるかもしれないといっただけだ。

そんな音ぐらいのこと、か。

私は合点した。事情が読めた。

彼女は心中事件の夜、直之の部屋から物音がするのを聞いたのだ。そういえば加奈江はこんなこともいっていたではないか。

「眠っていたわりには、由香さんが部屋を出たのは早かったわね。あたしが飛び出した時には、もうロビーの方に行ってたもの」

火事騒ぎが起きる前に、由香は目を覚ましていたのだ。だからこそ小さな物音にも気づいた。

そして彼女は火事騒ぎの後、直之に何気なく尋ねた。火事の前、どこに行ってたの――と。

日にちが経ってからも、由香はこのことを覚えていた。だから昨夜心中事件が偽装されたものかもしれないという話が出た時、真っ先に思ったことは、直之が犯人なのかもしれないということだった。いや、もしかしたらそれほどの確信があったわけではないのかもしれない。だが万一のことを考えて、彼女は自分の手で遺書を奪い、その内容をたしかめようとしたのではないだろうか。

ところが由香の推理に反して、実際には犯人は別の人間だった。そしてその犯人は、由香が遺書を盗み出すところを目撃したに違いない。かわいそうな話だが、由香はとんでもない勘違いがもとで殺されることになったのだ。

ではその勘違いの原因は何か？

私は思いついたことがあって、回廊を戻ると加奈江の部屋のドアをノックした。彼女は私を見て、「あら」と驚いた顔をした。

「教えてほしいことがあるの。大したことじゃないのだけれど」

「何ですか」

「今健彦さんのいる部屋、『はの弐』の部屋だけど、心中事件が起きた夜は誰が入っていたのかしら」

おかしな質問だが、加奈江は疑ったようすはない。ちょっと考えたあと、「ああ、そうだ」

と手を叩いた。

「あの時には誰も泊まってませんわ。ええそう、たしか空き部屋でした」

「誰もいなかった……」

「はい。『は』の棟に泊まっていたのは由香さんと直之さんだけだったはずです。あの、それが何か?」

「いいえ、何でもないの。変なことを訊いてごめんなさい」

曖昧にごまかすと、就寝の挨拶をしてその場を離れた。

頭の中がもやもやしている。

私は昨夜の自分の体験を思い出していた。直之の部屋のドアが開いたと思ったのだが、それは健彦の部屋の音だった。ということは、心中事件の夜に由香が聞いたのもそうではなかったかと考えたのだ。

しかしあの夜あの部屋に泊まっていた者はいなかったという。

ただこれで由香が直之を疑ったのも無理ないことが判明した。『は』の棟には自分以外には直之しかいないのだから、何らかの物音がしたら彼が出入りしたのだと思うだろう。

自室に帰って考え直してみた。由香が物音を聞いたという仮定が間違っているとは思えない。それ以外には、彼女が直之を疑った理由を説明できない。やはり何者かが『はの弐』の部屋を出入りしたと考えるべきだろう。

放火を終えた後、犯人が『はの弐』の部屋に逃げこんだとする。ではなぜその人物は自室に戻らず、別の部屋に隠れたのか。その方が都合の良い理由などあるだろうか。

私はごろりと横になった。右手を上げ、空中に『И』と書いてみる。由香が残したメッセージだ。この謎も解かねばならない。

N、S、Ⅵ、どれもしっくりこない。そのうちに、これは完成された文字ではないのかもしれないという考えが浮かんだ。何かを書こうとする途中で、由香は息絶えたのかもしれないのだ。

たとえば『W』の文字だ。ほかにはないか。

私は寝返りをうつと、あの時の由香と同じように腹這いになった。そして左手で文字を書こうとした。

その瞬間、はっと息を飲んだ。

全く別の可能性に思い当たったからだ。

NでもSでもWでもない、別のアルファベットが頭に浮かんだ。そしてそれを頭文字にする人間といえば、関係者の中に一人しかいない。

私は小さくかぶりをふった。まさかあの人が……。いやしかし、考えられないことではない。

その人物が犯人だとすればどうだろう。いくつかの疑問は氷解するだろうか。たとえば犯行後に『はの弐』の部屋に逃げこんだことを、説明できるだろうか。

私は再び指を伸ばすと、今度は回廊亭の見取り図を空間に描いてみた。『はの弐』の部屋は、一体どういう存在なのだろうか。

指が止まったのは、池を描いている時だった。私はぎくりとして身体を起こした。

そうか、そういうことだったのか。

頭の中が一瞬白くなり、その中から鮮やかな光景が浮かびあがってきた。

二十九

浴槽の中の湯も、今夜ばかりは冷めているらしい。いつもは湯気があふれ出るはずの浴室から、冷たい空気が流れこんでくる。私はガラス戸を閉めた。

懐中電灯で腕時計を照らす。あと三分ほどで午前二時になる。

十二時前に電話をかけた。重大な話があるから夜中の二時に女性用浴場で会いたい、という意味のことをいったのだ。これは大きな賭けだった。もし相手が犯人でなかったら、不審に思って警部に相談するに違いないからだ。あるいは警察がすべての電話を盗聴している危険性もある。いずれの場合でも、矢崎警部は部下をこの場所に張りこませ、私を捕まえて詰問しようとするだろう。その瞬間、私のすべての計画は水の泡となる。

しかしたとえ危険な賭けでも、しないわけにはいかなかった。矢崎警部は、私に疑いを持ち始めている。本間菊代夫人について本格的に調べれば、私が偽者であることなど、すぐに見抜いてしまうだろう。残された時間は、あとわずかしかないのだ。

そしてどうやらこの賭けはうまくいったようだ。現時点では、刑事に見張られている気配はった。

ない。安心するのは早いかもしれないが、私は自分の推理が当たっていたことを確信しつつあ

問題は敵が来るかどうかだ。

私は必ず来るはずだと信じている。犯人なら、絶対に来るはずだ。

もう一度時計を見る。午前二時一分——。

この時、入口のドアがかちりと音をたてた。私の目の前で、ドアのノブが回っている。そし

てそれはゆっくりと外側に開かれた。

「本間さん?」

相手が小声で呼びかけてきた。間違いなく敵の声だった。

「ここにいます」

真っ暗な中から声がしたからか、相手の影が一瞬びくりと動いた。それから中に入ってきて

ドアを閉める。ここで私は懐中電灯を下に向けてつけた。相手の姿が闇の中に浮かび上がった。

「あの、お話というのは?」

警戒する目で尋ねてきた。相手もこちらを殺す準備をしていると考えるべきだろう。まずは

少しでも警戒を解く必要がある。

「あなたにお願いがあるのです」

「……何でしょうか」

「じつは」といって私は唇を舐めた。「犯人に自首を勧めてほしいんです」

相手は驚いたようだ。返事する言葉をなくし、目を大きく見開いている。

「犯人の見当がついたのです」と私は続けた。「その人もあなたの説得なら聞いてくれるんじゃないか――そう思って、このようにお頼みしているわけです」

「……一体、誰だとお思いなんですか」

「それは」

私は一旦躊躇する姿勢を見せ、それから改めて相手の目を見ていった。「藤森曜子さんです。あの方以外には考えられません」

相手は完全に虚をつかれたようすだった。しばらく無言で考えこんだ後、首を振った。「まさか、どうして？」

「こちらに来てください」

私は浴室に足を踏み入れた。足の裏が氷に触れたように冷たいが、今はそれどころではなかった。相手も黙ってついてきた。

「夕方、偶然見つけたのです。ほら、浴槽の中に何か落ちているでしょう？」

私は浴槽の脇に立って、冷めた湯を指差した。相手も一歩前に出た。

「どこですか？」

「ほら、あそこ。左の底です」

私は懐中電灯で底を照らした。相手はさらに身を乗り出した。

この一瞬を私は逃さなかった。密かに隠し持ったアイスピックを、相手の背中に思いきり突き立てたのだ。相手はうっという声を漏らし、大きく身をのけぞらせた。私はアイスピックを引き抜くと、その背中を前に突いた。相手は浴槽に落ち、水しぶきが上がった。

さらに、這い上がろうとする敵を、私は上から押えつけた。老婆らしくない機敏な動きに、相手は明らかに戸惑っていた。私はアイスピックを振り上げ、二度目の攻撃を行なった。今度は胸に突き刺さった。相手は恐ろしい声を上げたが、外に聞こえるほど大きくはなかった。傷口から流れ出た血が、浴槽の水に広がっていく。

「どうして……」

血の中でもがきながら、小林真穂は私に訊いた。

火事が起きる直前、『はの弐』の部屋に入ったのは誰か。

一ヶ原家の人間は、全員自分の部屋にいたはずだ。となると、残るのは小林真穂しかいない。

ではなぜ彼女は『はの弐』の部屋などに入ったのか。

それは逃走経路を短縮するためだ。

彼女は『いの壱』の部屋に火をつけた後、すみやかに自室に戻る必要があった。だが回廊は長い。途中で誰に目撃されるかわからない。とはいえ、池があるので『は』の棟までは回廊を通らざるをえない。問題はこの後だ。

真穂が自室に戻るには、ここからさらに『に』の棟や本館を通り抜けねばならない。彼女はそれを危険だし時間がかかり過ぎると判断した。そこで選んだ道が、庭を横切るという方法だ。彼女は『はの弐』の部屋に入り、ガラス戸を開けて庭に出たのだ。そして池の縁に沿って走り、従業員用宿舎に戻ったに違いない。加奈江の話の中に、逃げる途中で真穂とすれ違ったという話が出てくるが、その時の真穂の目的は、『はの弐』の部屋のガラス戸に鍵をかけることだったのだろう。

この推理を導くきっかけとなったのは、由香のダイイングメッセージだった。『И』とは何だったのか。私はあの時の由香と同じ格好をしているうちに気づいた。腹這いになって左手で文字を書こうとする場合、ふつうとは逆に、右から左へ手を動かす方が書きやすいのだ。由香が死ぬ直前に書きたかったのは、WでもNでもない。『M』という文字だった。MAHOのMだ。

犯人は真穂だった。

彼女が私と里中二郎を焼こうとしたのだ。

真穂の顔から血の気のひいていくのが、懐中電灯の光の中でもはっきりとわかった。浴槽の水は、すっかり血で染まりつつある。

「なぜあたしに殺されるのか、あなたにはわからないでしょうね。でもあたしが誰かわかれば、すぐにわかるはずよ」

そういって私は、彼女の方に顔をぐいと近づけた。

「わから……ない。だれ……なの」

喘ぎながら真穂は訊いた。

「そう、やっぱりわからない？　変装がうまくいきすぎてるのね。素顔を見せてあげたいけれど、まだそれはできない。だから代わりにこれを見せてあげるわ」

私は寝間着の紐を緩め、背中を出して、真穂の方に向けた。あの醜い火傷の痕が、彼女にも見えたはずだ。

彼女が事情を悟るのに数秒かかった。彼女は土気色の顔を歪め、力なく口を開いた。

「まさ……か。死んだ……はず……」

「でも生きているわ。このとおりね。だけどあなたに焼かれた肌は治らない」

信じられないという目を真穂はした。

「あなただとわかるまでには苦労したわ。でも結局は由香さんの死がヒントになった。ねえ、彼女を殺した時のことを話してちょうだい。あなたは彼女があたしの部屋に忍びこむのを目撃したの？」

真穂は苦しそうに頷いた。そして金魚のように口をぱくぱくさせながら話しだした。

「マスターキーを、盗んでいくのを、見た……から。それから、あなたの部屋に、入るのを、見て、それで、由香の、部屋で、待ち……伏せ……た」

白状すれば命を助けてもらえるとでも思ったのか、彼女は懸命に口を動かした。おかげで事情がわかった。眠っているところを襲われたように見せかけたのだろう。しかし由香は絶命してはいなかった。真穂が出ていった後、最後の力をふりしぼってダイイングメッセージを残したのだ。由香は部屋に戻ったところを、いきなり襲われたのだ。真穂は彼女を布団に寝かせ、

「そういうことだったの。よくわかったわ」

さらに私は、心中事件についても詰問しようかと思った。しかし真穂のようすを見ると、到底長い話をできる状態ではなさそうだった。ぐったりとし、助けを求める目をこちらに向けている。

「今、楽にしてあげる」

私は浴槽の中に手を入れると、彼女の胸に刺さったままのアイスピックを引き抜いた。何かが漏れたような声を出し、真穂は目玉を剝いた。

間髪を置かず、もう一度胸を刺した。びくりと痙攣のような反応を示し、やがてぐったりとなった。

さらに私は彼女の髪を摑み、前後に激しく揺すった。まだ死んでいない。瞼がかすかに開いた。

「何かいうことはある？」

私のこの言葉が彼女の耳に届いたかどうかはわからない。しかし真穂は最後にこう呟いたのだった。

「あ……たし……だけ……じゃない……」

もう一度揺すったが、これ以上は何の反応もなかった。彼女の目は、ぼんやりと宙を見つめていた。

私は彼女の髪から手を放して立ち上がった。

更衣室に戻ると、アイスピックの柄をそばに落ちていたタオルで拭き、そのままゴミ箱に捨てた。

身繕いをし、入口のドアを慎重に開ける。廊下に人気はなかった。

スリッパを履き、私は回廊を小走りに戻った。見咎められたら、その時はその時だ。

だが幸い誰にも見られずに部屋に帰ることができた。私は両膝をつくと、叫びだしたくなるのをこらえ、神に祈りを捧げるように胸の前で強く指を組んだ。

やった、とうとうやったのだ。

これで復讐の半分が終わった。

小林真穂の最後の言葉が耳に蘇る。あたしだけじゃない——。その後に彼女が何をいいたかったのかはわかっている。あたしを殺してもすべてが終わったわけではない、とでもいうつもりだったのだろう。

そんなことはわかっている。小林真穂は単なる共犯者に過ぎないのだ。

私が最も憎むべき人物は、明日殺すのだ。そしてそれで復讐は完成する。

三十

夜明けと共に、激しい悲鳴が回廊亭に響いた。見つけたな、と私は察した。手早く着替えを済ませて部屋を出る。回廊を、蒼介たちが走っていくのが見えた。

「近づかないでください。それからむやみに動かないで」

皆の後について浴場の前まで行くと、矢崎警部の怒鳴り声が耳に届いた。部下の刑事たちの動きにも、殺気だったものがある。

見ると、加奈江が廊下にしゃがみこんでいた。それを曜子が抱きかかえるようにしている。加奈江の顔は涙でぐしゃぐしゃになっており、彼女が座りこんだあたりは濡れたようになっていた。どうやら失禁したものと思われる。

「加奈江さん」

警部の遠慮容赦のない声が飛んだ。「あなたはなぜ、こんな早い時間に風呂に入ろうとしたんですか」

「あたし、あたし、何も知らないの。目が覚めて、ここへ来て、そうして、そうしたら」

彼女は身をよじらせ、母親にしがみつくと、わあわあ泣きだした。ふつうなら気持ちが落ち着いてからということになるのだろうが、そんな悠長なことをいっている場合でないと判断したか、警部は加奈江の肩を摑んだ。

「はっきりいいなさい。なぜこんなところに来たのですか」

「だから、何となく目が覚めて、身体が汗ばんでたから、温泉に、お風呂に入ろうと思って」

「こんな時にですか。殺人事件が起きているこんな時に、朝風呂ですか」

加奈江の精神構造を理解できない警部は、ヒステリックにわめいた。

「そんなに怒鳴らなくてもいいじゃないですか。この子はここでは毎日朝風呂に入るんです。それがいけないんですか」

曜子は幼児を庇うように、加奈江の頭を自分の胸の中に包んだ。

「しかし風呂なら部屋にもある。大浴場は昨日から湯を止めていたのです」

「知らなかったわ、知らなかったんだもの」

「知らなかったっていってるじゃないですか。いつもなら二十四時間入れるようになっているんです。今朝もそうだと思って入ろうとしただけで、そんなに叱られなきゃいけないんですか。この子がここへ来たからこそ、死体発見が早まったんでしょ」

曜子の激しい口調には、警察の無能さに対する怒りと嫌味もこめられているようだった。それがわかるからか、矢崎警部は苦々しくこちらを振り向いた。

「全員ロビーに集まってください。決してどこへも行かないように」

私たちがロビーに行くと、ようやく騒ぎを聞きつけてか、古木弁護士と鯵沢弘美が反対側から現われた。

「女将さんが殺されたそうですな」

古木弁護士が、場の緊迫感とは対照的な、間のびした調子でいう。

「申し訳ないが、あなたたちは席を外してください」

警部がヒステリックにいい放った。「あなたたちには無関係です」

あまりの剣幕に、老弁護士は目を丸くして口を閉じた。

「現場が大浴場だというのは本当ですか」

鯵沢弘美はひるまずに尋ねた。刑事の一人が小さく頷くと、弘美は黙って回廊を歩いていった。その後ろ姿を見送った後、警部は私たちの方に向き直った。

「事件について心当たりのある方、昨夜物音を聞いたり、何か目撃した人は名乗り出てください。どんな些細なことでも結構です」

早口でまくしたてた。苛立っているのがよくわかる。事件が起きて捜査中の領域で、またしても人が殺されたのだから、警察のミスといわれても仕方のないところだった。

発言する者はいなかった。いうべきことがないこともあるだろうが、全員、明らかに怯えていた。たしかな根拠は持っていなくても、自分たちの中に人殺しがいるのかもしれないという気になっているのだ。

若い刑事が矢崎警部に何やら耳うちした。警部はひとつ頷き、さらに険しい顔で一同を見渡した。

「凶器はアイスピック」と彼は揚言した。「無論この宿の厨房にあったものと同一です。この点について何か御存じの方は？」

「昨日、真穂さんが使っていました」

紀代美が真っ青になっていった。「頭を冷やそうと思って氷を貰いに行って、その時あの人がアイスピックで氷を砕いてくれたんです」

「その後小林さんはアイスピックをどうしましたか」

「ええと、たしか厨房のテーブルに置いたと思います」

「その時、厨房に誰かいましたか」

紀代美はぶるぶると顔を振った。

「誰もいませんでした」

「ほかにそのアイスピックを見た人は？」

警部が怒った口調で訊いたが、誰も答えなかった。もし答えるのであれば、それは私だった。私は昨夜遅く厨房に入り、テーブルの上のアイスピックを懐ろに忍ばせたのだ。凶器になるものであれば何でもよかった。

「厨房に指紋を取りにいけ」

部下に命じた後、彼は腕を後ろに回し、囚人を監視するような顔をして歩き回った。その目は憎しみに満ちている。どうすればこの限られた範囲の中から犯人を割りだすことができるかを、必死で考えているのだろう。

「厨房にあったアイスピックが使用されたということは、宿泊客の中に犯人がいたと考えて間違いなさそうですな」

サディスティックともいえる表情で、彼は全員の顔を舐めるように見ていった。だが直之が反論した。

「アイスピックを持ち出したのは、真穂さん自身かもしれない」

「ほう、どういうことですか」

警部は挑むように訊いた。

「風呂場で物音がするので、真穂さんは様子を見に行くことにした。しかし不安なので、たまたま目についたアイスピックを懐ろに忍ばせたわけです。すると風呂場には賊が潜んでいて、アイスピックを真穂さんの手から奪い取った上に、彼女を刺し殺した――充分ありうることじゃないですか」

「すると賊自身は凶器を持っていなかったわけですか」

「それはわかりません。でもこの宿にあるものを使った方が、足がつきにくいと思ったんじゃないですか」

「ふん、なるほど」

警部は頷いたが、直之の弁に納得している目ではなかった。案の定、彼はいった。「ではお訊きしますが、その賊とやらはどこから侵入したのですか。現在調べたところでは、出入口はすべて閉まっています。あと可能性があるとすれば、皆さんの部屋を経由してということになりますが、いくら鈍感な人間でも、誰かが侵入してきて気づかないということはないでしょう」

「失敬な、我々が鈍感だというのか」

言下に蒼介が色をなした。が、矢崎は謝らない。

「そうでないなら、尚のこと外部からの侵入者などありえない。それに昨夜この宿の周辺は、常時数名の警官が見張っていたのです」

ナイフを突きつけられたように全員が押し黙った。その容疑者全員を見回して、「わかっていただけたようですな」と底意地悪く警部はいった。

「伺いますが」

またしても直之が対抗する。「由香さんを殺した犯人と、今回の犯人は、同一だと考えておられるのですか」

「その可能性が極めて大きいと考えられます。個人的見解を述べさせてもらえば、間違いなく同一犯人です」

警部は断言した。

「それならば、あの髪の毛の件はどうなります。関係者以外の髪が由香さんの部屋から見つかっているじゃありませんか」

「あれについては現在、追加調査を行なっています。まだ結論は出ていません」

「そんな……」

唯一のよりどころをあっさりと切り捨てられ、直之は悔しそうに唇を噛んだ。警部はそんな彼から目をそらし、ほかの者を見た。

「第一の事件が内部の者の犯行であることを示す根拠を、もう一つ述べておきましょう。昨日皆さんにも少しお話ししましたが、我々は池のほとりで犯人のものと思われる足跡を発見しています。ところが奇妙なことにその足跡には、靴底の型がついていないのです。いくら不鮮明とはいえ、これは不自然だ。そこで鑑識で調べた結果、どうやら靴下のままで走ったらしいということが、つい先程判明しました。さてこのことをどうお考えになりますか。外部から強盗を目的に侵入した賊が、裸足（はだし）で逃げるなんてことがあるでしょうか」

やはり暴露（ばれ）たか、というのが私の正直な印象だった。足跡が見つかった時から、覚悟していたことだった。

「内部の人間にしたって、靴下のままで走るなんて変だわ」

曜子が反論する。だが警部は予想していた質問とでもいうように、自信たっぷりに応じた。

「内部犯だからこそ、そういう事態が起こったのです。犯人は当初、回廊を通って由香さんの部屋に入り、犯行後も回廊を通って戻るつもりだった。ところが思わぬ邪魔が入ったため、ドアから出ることができなくなったのです。その邪魔とは、健彦さんです」

突然の指名に健彦はびくんと身体を上下させた。警部は続ける。「健彦さんは由香さんの部屋から不審な音がするので、様子を見に部屋を出たとおっしゃっています。その時中にいた犯人にもそのことがわかったはずで、健彦さんに見つからずに脱出するには、ガラス戸から庭に出るしかなかったのです。したがって裸足の足跡が残された。どうです、内部犯と考えればすっきりするでしょう」

すっきりするだけでなく、それはほぼ事実なのだ。唯一違う点は、私が忍びこんだ時、由香はすでに殺されていたということだ。

が、しかし見事な推理ではある。それがわかるからだろう、誰も言葉を発せられなくなった。

警部は鼻をぴくつかせた。

「そうなるとあとは消去法だ」と彼はいった。「その足跡は、池の対岸にも同じようについていました。このことから犯人は、由香さんの部屋から自分の部屋に戻るには、必ず池を越えなければならない人物だといえます。さてそうなると」

警部は大股で直之の前まで進んだ。「由香さんの向かいの部屋にいる直之氏、またその隣りの部屋にいた健彦さん、そして『に』の棟にいる加奈江さんは除外されることになる。このお三人だけは、自分の部屋に戻るのに池を渡る必要がありませんからな」

直之は却って苦痛そうな顔をし、健彦と加奈江はぼんやりしている。

「犯人はそれ以外の四人の中にいるというのかね」

自らもその中に含まれている蒼介が、青筋を立て、唇を震わせた。

「足跡によれば、そういうことになります」

矢崎警部は平然といった。

「ちょっと待ってください」

成り行きを見つめていた紀代美が、眉を吊り上げた。「二つの事件の犯人が同一なら、私を外してくださってもいいじゃないですか。母親が娘を殺すはずないでしょ」

これを聞いた途端、横にいた曜子がきっと義姉を睨みつけた。蒼介も顔を歪める。険悪な空気の中で、「心理的にはそうでしょうな」と警部は抑揚のない声でいった。「私にしても、あなたを疑っているわけではありません。しかし今は物理的な検討を行なっている段階なのです。御理解ください」

「あたしは理解できないわ」

曜子が気色ばんだ。「だいたい二つの事件の犯人を同一とする根拠は何なんですか、その説明を聞いてませんけど」

　すると警部はいかにも意外そうに、「説明が必要ですか」と訊いた。

「必要です」と曜子は答えた。

　警部は天井を見上げ、話にならないとでもいうように首を振った。

「この短い期間に続けて殺人が起き、しかもどちらも犯人は内部の人間らしい。それでもし犯人が別々ならば、あなた方の一族は殺人鬼集団ということになる」

　内部犯行を確信している警部は、もはや一ヶ原家に対して遠慮する意思をなくしていた。たぶん全員が犯人に見えているのだろう。

「たしかに異常ですけど、ありえないと断言することはできないんじゃないですか。最初の事件が起きたために、別の犯人による第二の事件が起きたとも考えられますわ」

　曜子がいう。警部は口を曲げた。

「そういう連鎖反応が起きるケースとは、たとえばどういうケースですか。御説明願いたいものですな」

「たとえば……そう、じつは真穂さんが由香さん殺しの犯人で、その仇を討ったということだってあるでしょ」

「ちょっと曜子さん」

　自分のことをいわれているのだと知り、紀代美が立ち上がった。「私が真穂さんを殺したっていうの？　いい加減なこといわないで」

曜子は彼女の方を見ず、「たとえばっていってるでしょ」と吐き捨てた。

「なによ、その言い方」

紀代美は曜子に摑みかかろうとした。それを後ろから直之が取り押えた。

「落ち着いてください」

「落ち着けるものですか。娘を殺されて、こんなことまでいわれて。ああ、わかった、やっぱり犯人はあなただ。あなたがやったんでしょ」

肩を摑まれているので、紀代美はスリッパを履いたままの足で曜子を蹴ろうとした。スリッパが飛んで曜子の脛に当たった。

曜子もまた立ち上がった。

「どうしてあたしがそんなことをするのよ」

「お金のために決まってるじゃない。お金のためなら何だってするくせに」

「何ですって」

曜子も手を出しそうになったので、今度は蒼介が抑えにかかった。

「一ヶ原紀代美を部屋に連れていけ。しっかりと見張ってるんだ」

矢崎警部が若い刑事に命じた。それで紀代美は意味不明のことを叫びながら退場した。ロビーはとりあえず静かになった。

「全く」

警部はいまいましそうに、近くにあったテーブルをがんと叩いた。それから再びこちらを見た。

「小林真穂さんが第一の事件に何らかの形で関わっていることは間違いありません。しかし彼女が犯人である可能性は低いのです。その理由は、先程も申し上げた足跡のことがあるからです。従業員宿舎のある本館へは、池を越えなくても戻れる」

警部はあくまでも足跡に拘るつもりのようだった。「まあしかし、二つの事件の犯人が同一かどうかは、とりあえず保留にしても構いませんよ。いずれにしても、由香さん殺しの犯人は、母親の紀代美さんを加えても四人に絞られる」

「あたしは犯人じゃないわ」と曜子が叫んだ。

「俺だって犯人じゃない」と蒼介が続く。

「あなたは？」と警部は私を見た。「何かおっしゃりたいことは？」

「馬鹿馬鹿しい」

直之が横からいった。「矢崎さん、あなたは論理的に物事を考えるのが好きなはずでしょう？　あの池を飛び越えることなど、本間さんには無理です」

このことについては、矢崎警部自身がいったこともあるのだ。しかし今は警部はあの時の穏やかな目ではなく、科学者のような冷徹な目で私を観察していた。

「まあたしかに」と彼はいった。「それはそうですな。常識的に考えれば、たしかに」

彼が私の正体に疑問を持っていることは、もはや疑いようがなかった。まさか若い女の変装とまでは見抜いていないようだが、本間菊代という人物について調べ直す必要があると思っている。

「いわせてもらうがね」

蒼介はこめかみに血管を浮かせた。「警部さん、あんたの今いったようなことは、どれをとっても決定的な証拠とはいえんよ。足跡だってそうだ。犯人のものらしいというだけで、必ずそうだと決めつけるだけの材料はない。仮に犯人がつけたものだとしても、それが何らかの偽装工作でないと断言できるのかね。そうとも、自分に疑いを向けぬように仕組んだこととも考えられる」

咄嗟に口から出たことだろうが、それが自分でもなかなか良い意見だと思ったらしく、いった後で蒼介はうんうんと頷いた。

「ぎそう、こうさく」

言葉の意味を確認するように繰り返し、警部は少し歩き回った。そして立ち止まると、蒼介に訊いた。「ではなぜ裸足の足跡なのです。偽装なら、外部犯に見せかけるべきじゃないですか」

「そんなことは……知らんよ」

蒼介は横を向いた。「犯人には犯人の事情があったのだろう」

しょう。そうなると偽装を行なったのは、加奈江さん、健彦さん、直之さんの三人ということになる。この中で直之さんにはアリバイがあります。ということは――」

「違うわ、あたしじゃない」

警部が最後までいい終わらぬうちに、加奈江が泣きながら主張した。「あたし、そんなことしないわ」

「僕だってそんなことしない」と健彦もいった。

警部は満足そうな顔をした。

「もし偽装ならば、犯人が加奈江さんにしろ健彦さんにしろ、実の親に疑いがかかることを厭わなかったということになりますな。直之さんでも、兄姉に罪を着せたということになる。これをどうお考えですか」

ぐうの音も出ないとはこういうことをいうのだろう。蒼介は脂汗を流し、口を真一文字に閉じて、ただ唸るだけだった。

「とにかく」と警部はいった。「この中に犯人がいることはたしかなのです。もうどんな屁理屈を並べても無駄です。私はその犯人に勧告する。おとなしく名乗り出なさい。その方が皆に迷惑がかからないし、逮捕後も多少は有利だ」

彼の言葉に一同がしんと静まりかえった。

内部犯説に反抗しながらも、やはり心のどこかで警部の言葉に同意していることを証明する沈黙だった。

数十秒間警部は待った。私にとっては長い時間だった。

「私は今、君にチャンスを与えた」

そういうと警部は、そばにあった椅子にどっかりと腰を落ち着けた。「しかし君はそれを無視した。そうしたことを、数時間後には後悔することになるだろう。我々が本気になれば大抵のことはわかるのだ。君の沈黙は無駄になる。それは断言できる」

そして彼は突然表情を和ませた。

「もうしばらくここでお待ちください。間もなく犯人を捕えられると思います。それまでの辛抱です」

さらにもう一度目を険しくしていった。「いつでも名乗り出なさい。門は開かれたままだ」

三十一

鉛のように重い空気の中、私たちは一言も口をきかず、殆ど動かずに時間を過ごした。もし知らない人が外から覗けば、蠟人形館に見えるのではないかと思うほどだ。

私以外の人間は、曜子と蒼介のようすに神経を向けているらしかった。どちらか一方が、今にも名乗り出るのではないかと思っているのだ。そして当人たちは、お互いに相手のことを疑い始めているに違いなかった。

私は他の捜査員たちの動きに気をつけていた。彼らは小林真穂の部屋を捜索するに違いない。ということは、例の遺書が見つかるおそれもあるのだ。あれが見つかれば、計画のすべてが壊れてしまう。復讐の機会が、永遠になくなってしまうのだ。私は気が気でなかった。

矢崎警部は詰め将棋でもするように、じっくりとこちらを攻撃してきた。まず最初は凶器のことだった。

「由香さんを殺した凶器の出所が判明しました」

部下が報告に来るたび天気予報でもするような軽い調子で、警部は捜査状況を説明した。

「風呂場の横に、大きな物置がありますね。そこに一ヶ原高顕氏が昔使っておられたと思える、古い登山道具が置いてありました。調べてみると最近誰かが触った形跡がありますし、登山ナイフのケースが一つ余っていました。調べてみると、このケースは凶器となったナイフにぴったりでした」

「そんな古い物が、今でも使えたのですか」

即座に直之が疑問を口にした。

「使えたようですな」と警部は答えた。「登山ナイフはほかにもあるそうですが、どれも保存状態が非常に良いそうです」

小林真穂は、なぜそんなものを凶器に選んだのだろう。早く由香を殺さなければと思ったが、適切な凶器が見つからなかったのかもしれない。たしかに厨房にある刃物を使用するわけにはいかないだろう。高顕氏の登山道具の存在を覚えていたというのは、さすがは元愛人というべきなのかもしれない。いやもしかしたら、それらの手入れをしてきたのが真穂自身だったのではないか。だからこそ今も錆ひとつない状態で残っていたのかもしれない。そう考えると、彼女もまた哀れな存在だ。

それにしても少し意外だったのは、警部がこれを種に内部犯行説を改めて強調しなかったことだ。たぶんわざわざ口に出していう必要がないことを充分に承知しているからだろう。事実内部犯説に対抗し続けてきた直之でさえ、これ以後はうつむいたきりになった。

私は焦っていた。このままでは何もできぬまま捕まってしまうだろう。矢崎警部が真相をつきとめるまでには、もうそれほど時間はないはずだった。といって、今ここで復讐を果たそうとしても、大勢の警官に取り押えられるに決まっている。

どうすればいいか。

そこへ一人の刑事が歩いて来た。手に何か書類を持っている。その刑事はちらりとこちらを見た。

これまでだ、と私は直感的に思った。このままここに座っていてはいけない。私は立ち上がった。

「すみません、ちょっとお手洗いに行かせていただけませんか」

早速別の若い刑事がそばに寄ってきた。

私は媚びるような目をしていった。若い刑事は矢崎警部を見た。

「もう少し待てませんか」と警部はいった。「私がこの書類を読む間だけでも」

「でも……」

「いいじゃないですか、トイレぐらい」

直之が代わりに抗議してくれた。「我々は囚人じゃないんだ」

矢崎警部は部下が持ってきた書類を指先につまんだまま、ほんの少しの間考えていた。だが結局、「まあ、いいでしょう」と許可してくれた。

ロビーを出る。厨房の横に手洗いはあった。見張りの刑事を残し、私はまずは用を足した。

そして洗面台で顔をチェックする。もうすっかり見慣れた老婆の顔がそこにあった。ためらっている時じゃない、もう本当に後がないのだ――鏡の中の自分にいった。

手洗いを出ると、水を一杯飲みたいからと刑事にいった。刑事は露骨に嫌な顔をした。

「薬を飲みたいんです。お願いします」

「じゃあ、早くしてください」

刑事はぶっきらぼうにいった。

厨房に入り、コップに水をくんだ。刑事は入口のところで待っている。鎮痛剤を持っていてよかった。とりあえずそれを飲む。そうしながら目の端で、棚のひとつを捉えていた。昔と変わっていなければ、その棚にはタイマースイッチが入っているはずだ。最近の家電製品には大抵タイマーが内蔵されているから、今はもう殆ど使うことはないかもしれないが。

「早くしてください」

刑事はひと声かけると外に出た。

私は用事をすませて厨房を出ると、きっちりとドアを閉めた。顔色の変わっているのが自分でもわかる。しかし未熟な刑事は、私の変化に気づかないようだ。

ロビーに戻ると、私が出た時と同じ状態で皆が待っていた。矢崎警部はさっき若い刑事が持ってきた書類を見つめていたが、私を見ると少し頬を緩め、早く座れというような手ぶりをした。私は元の位置についた。空気が異様な緊迫感に満ちていた。

「さて……と」

警部は小さく呟いた。そして全員を見渡した。「髪の毛の分析結果が出たようです」

「髪の毛？」と曜子が訊いた。「また髪の毛ですか」

「そう、また髪の毛です。今回は、小林真穂さんが殺されていた大浴場から採取されたものを調べてもらいました。まず見つかったのはすべて女性の髪でした。小林さんのもの、由香さんのものを除くと三種類でした。それらについても個人の特定が完了しています。加奈江さん、藤森曜子さん、一ヶ原紀代美さんの三人です」

「なぜあたしのだってわかるの？」

曜子が嚙みつくようにいった。「あたしの髪を調べたことなんかないはずなのに」

「じつはここで待っていただいている間に、皆さんの部屋から髪を採取したのです」

「まあ……」

プライバシーの侵害だとばかりに、彼女は加奈江と共に警部を睨みつけた。

「なんだ、じゃあ別に調べるまでもないことじゃないか」

蒼介が少しひきつった笑いを浮かべた。「要するに風呂に入った者の髪が見つかったにすぎん」

「そういうことでしょうな」

「そういうことって……」

「さらに」と警部は再び書類に目を落とした。「我々は風呂場周辺、由香さんの部屋の周り、皆さんが食事をされた部屋などからも髪を採取しました。その結果――」

彼は背中をぐいと伸ばし、宣告するようにいった。「昨日由香さんの部屋から見つかった謎の毛髪が、またしても見つかりました」

えっと、ほぼ全員が声を出した。

「じゃあやはり外部からの侵入者がいるんだ。我々の知らないうちに宿の中を徘徊しているんだよ」

直之が少し元気を得ていう。

「いやだ、気味が悪い」

加奈江は顔をしかめ、二の腕をこすった。

「そのように決めつけるのは、少々早すぎるようです」

矢崎は意識的にゆっくりとした口調でしゃべっているようだ。「なぜならその毛髪が見つかったのは、皆さんが食事をされた部屋だからです」

彼のいわんとすることが、私には完全にわかっていた。どうやら覚悟を決めた方がよさそうだ。私は横目で時計を見た。十二時五分前を指していた。

「食事をした部屋だって？　そんな馬鹿な」

蒼介が大声を出した。「じゃあ侵入者は、あの部屋にも入ったということなのか」

「というよりも、皆さんの中に問題の髪の持ち主がいると考えた方が、筋が通りますな」

「僕たちの中にいるって？」

健彦がいい、やがて彼ははっとしたようにこちらを見た。加奈江、蒼介、曜子の順に顔がこちらを向く。直之だけが警部を見たままだ。

「そんな馬鹿なことが……。本間さんは御覧のように、見事な白髪の持ち主です。見つかった髪は黒いし、しかも若い女性のものだといってたじゃないですか」

「そう、そのとおりです。しかしですな、調査を続けてみて、じつに不可解なことに我々は気づいたのです」

警部は椅子から立ち上がった。「不可解なことというのは、ある人物の毛髪だけが、全くどこからも見つかっていないということです。ほかの方の髪は、程度の差こそあれ、全員採取されているのですが、ひと目でその人物の髪とわかる白い髪だけが見つからない。まわりくどい言い方はやめましょう。つまり本間さんの髪がどこからも出てこない」

「そんなことは別に……偶然じゃないですか」

直之がくいさがる。私は時計を見た。あと三分。

「たしかにたまたま見つからなかったのかもしれない。しかし『いの壱』の部屋から発見された、何本かの黒い髪についてはどう説明すればいいのでしょう。しかもそれらは例の謎の毛髪と特徴が完全に一致しているのです」

「そんな……」

さすがの直之も抵抗の材料をなくしたのか、口をつぐんでしまった。警部はわざと私の顔を見ずに、ゆっくりと歩き始めた。

「さらに鑑識の調査によると、この毛髪の何本かには、非常に変わった特徴があるそうです。その特徴とは、かつて強い脱色を何度もかけているということ、そしてその上から特殊な色に染めてあるということです。これは一体どういうことか。鑑識は次のように推論しています。仮にこのようなことを髪全体に行なえば、髪は白銀色になるであろう、と」

ここで警部は初めて真正面から私を見据えた。全員がこちらを向いた。

「その髪は、あなた御自身の髪ではありませんな」

警部は私の頭を指さした。「おそらく鬘でしょう。しかしかつて自分の髪を白髪のようにしようとされたことがある。わかりませんな。白い髪を黒く染めるならともかく、なぜその逆をするのか」

「誰かが本間さんを陥れようとしたのでは」

どういう使命感からか、直之が弁護した。「真犯人が、本間さんに罪をおしつけようとしているのでは」

「そういう工作は無意味です。髪を調べればわかることだ」

警部は私を見たまま答えた。そして続ける。「今だからいうのですが、初めてお会いした時から、奇妙な違和感がありました。理屈では割り切れない感覚とでもいうのですかな。とにかく老人と一緒にいるという実感に乏しかった。さらに御自分でもお気づきでしょうが、あなたは重大なミスをしましたよね。茶道の表千家と裏千家を間違えたことだ。そしてもう一つ疑惑の種が私の中にあったことを告白しましょう。じつは私の母も前橋出身なのですが、その独特の訛(なまり)があなたの口から全く出なかったことです。かすかに感じることさえできなかった」

私は顔をそむけるふりして時計を見た。セットした時刻が来ていた。

「本間さん、いや、あなた」

矢崎警部が一歩私に近づいた。「あなたは一体、どこの誰なのです？」

私は立ち上がり、後ろに退いた。それと同時に、背後に二人の刑事が立った。

「あなたが犯人だといってるわけじゃない。しかしどういう事情があるのか、訊かないわけにはいきませんね。本間菊代夫人になりすまし、この回廊亭に潜入した理由をね」

私がさらに下がると、後ろにいた刑事の片方が、私の腕を摑んだ。矢崎警部は命じた。「鬘を取れ」

もう一方の刑事の手が私の頭に伸びたその瞬間――。

激しい爆音と共に私の身体は宙に浮いた。

気がつくと、周りが煙に包まれていた。私自身の身体も、床に叩きつけられていた。

作戦は見事に成功した。厨房に入った時、私はひとつの細工をしておいた。タイマースイッチを使い、時間がくればショートするようにセットした上で、ガスの元栓を開いておいたのだ。

近くで呻き声がした。見ると、そばにいた刑事が落ちてきたシャンデリアの下敷きになっているのだった。他の者も、散乱した椅子やテーブルの間でもがいていた。

「なんだ、一体何があったんだ」

矢崎警部がソファの陰から現われて怒鳴った。しかし脚を怪我したらしく、立ち上がる前に床に崩れた。

直之がふらふらと起き上がった。額から血が流れている。

「みんな、起きるんだ。早く逃げないと炎に巻かれてしまう」

彼の声で、倒れていた人々も身体を起こし始めた。ただ一人蒼介だけが、ぐったりしたまま動かない。

「しっかりするんだ。兄さん、にいさん」

「皆さん、庭に出るんだ。早く」

警部が片足をひきずりながら指示している。曜子も健彦も加奈江も、放心した顔で脱出を始めた。

突然ものすごい音がして壁が倒れた。その向こうから炎が塊となって飛びこんできた。

私は反対側を見た。炎はすでに回廊にまで及んでいる。あの時とは順番が逆だが、やがて客間がひとつずつ焼かれていくだろう。

私はゆっくりと立ち上がった。胸がとても痛い。もしかしたら肋骨が折れているのかもしれなかった。だが私はそんなことは構わず、火に包まれた回廊に向かって歩きだした。

「本間さん、そっちじゃない」

後ろから直之の叫ぶ声が聞こえた。

「待て、逃げる気か」

矢崎警部の声もする。しかし二人とも追ってはこなかった。

炎の中を私は歩いた。何に向かって歩いているのか、自分でもわからなかった。

回廊の途中まで来た時、目の前に黒い影が現われた。それが誰なのか、私には察しがついた。

同時に心の底から喜んだ。今私が最も会いたい人物だったからだ。

「あたしを探していたの？」

私は訊いた。相手は何も答えず、こちらに少し近づいた。

「あたしを殺すためね」と私はいった。「ねえ、そうなんでしょう」

「ああ、そうさ」

炎の中からジローがいった。

三十二

何秒間か、私たちは見つめあっていた。それから私は足を踏み出した。

「会いたかったわ、ジロー」

そういってから私は首を振った。「いいえ、ジローじゃない。あなたの本当の名前はヒロミ。鯵沢弘美というのが、本名だったのね」

「そして君の本名は桐生枝梨子、というわけか」

弘美は笑っているようだった。「今頃になって、やっと気づいたよ。しかしそれは仕方がない。何しろその変装だ。俺でなくても見抜けなかっただろう」

私は鬘をむしりとった。

「あなたに見抜かれやしないかと、ひやひやし通しだったわ。でも何とか間に合った」

「復讐に、かい?」

「ええ、そう」と私は答えた。彼は頷いた。

火気が強くなったようだ。全身から汗が吹き出した。

「早く片をつけないと、こっちの命までもやばそうだな。火をつけたのは君かい？」

「そうよ」

「おかげで助かったよ。例の遺書が見つからなくて困ってたところさ。真穂の奴、一体どこに隠しやがったのかな。ところであの遺書には、本当のことが書いてあるのかい」

「あたしの自殺が嘘だという点を除けばね」

「なるほど」

弘美はかすかに笑ったようだ。「俺ばかりが訊いてもいけないな。君から質問は？」

「あまりたくさんありすぎて、何から訊けばいいのかわからないわ」

「だろうな」

弘美の笑みが炎に照らし出された。彼は私を招くように指先を動かした。「もう少しこっちへ来いよ。そこは間もなく焼け落ちるぜ」

私は彼の指示に従った。その直後、私がいたところから火柱が上がった。

「『いの壱』の部屋に行こう、あそこなら火が来るまで少し時間がある」

彼は私の手を取り、回廊を急いだ。

ああ、この手だ。まさしくジローの手なのだ。

すべてが虚構だったと知ったのは、病院のベッドで目を覚ました時だった。

あの事件の夜、私は眠ってなどいなかった。ジロー——じつは里中二郎と名乗った鯵沢弘美だが——を待っていたのだ。彼が高顕氏と対面するという瞬間を前に、軽い興奮を覚えていた。

夜中の一時過ぎに彼は来た。ガラス戸から部屋に入ってきた。長い接吻の後、一ヶ原高顕はどこにいるのかと彼は訊いた。廊下を一つ渡ったところの部屋だと私は答えた。

「今から会いに行く？」と私は訊いた。彼はかぶりを振った。

「もう少ししてから行くとしよう。誰かに見られたら困るし、じつをいうと心の準備もできていないんだ」

無理もない、と私は思った。

「報告用の資料を見せてくれるかい」

「いいわよ」

私はバッグから書類を出して彼に渡した。いつか彼の目の前でワープロを叩いた、あの資料だ。彼はそれをしばらく眺めてから、「ありがとう」といって横に置いた。

「緊張してる？」と私は訊いた。

「少しね」と彼は答えた。「灯りを消してもいいかな」

「ええ」

灯りが消えた途端、私は彼に抱きすくめられた。布団の上に二人で倒れこむ。私は彼の唇を求めた。

だが彼はいつものようにキスをしてくれなかった。私の上に乗ったまま、ぐいと上半身を起こしたのだ。

「どうしたの？」

彼は答えなかった。闇の中にぼんやりと浮かぶ彼の顔は、能面のように表情がなかった。彼は両手を私の首に回した。彼が何かいった。しかしそれは聞こえなかった。一瞬息の詰まる感覚があり、その次にはふわりと身体が軽くなった。消えゆく意識の中で見たものは、醜く歪んだジローの形相（ぎょうそう）だった。

そして次に気づいた時は火の中だ。

私はそばに人が倒れているのを見て、それがジローではないかと思った。自分の身に何が起こったのかを冷静に判断できなかったのだ。夢と現実が交錯していた。

実際私は病院で目を覚ました後も、しばらく虚無状態だった。わかっているのは、ジローが見知らぬ男性とともに私を殺そうとしたことだけだ。だが新聞記事や看護婦の話などから、私のそばで倒れていた青年こそが本物の里中二郎だと知った時、すべての疑問が氷解した。上出来だったのは、自分がすべてを把握するまで、迂闊（うかつ）に人にしゃべらなかったことだ。

ジローは本物の里中二郎ではなかった。どういう行き違いからか、その名前を騙（かた）る偽物が私の前に現われたのだ。そしてその偽物は、私を利用し、自分が本物になるよう画策した。さらに仕上げに、本物の里中二郎と私を殺そうとした。

ただ一連の犯行を分析すると、彼一人のたくらみとは思えなかった。あの夜回廊亭に泊まっていた人間の中に共犯者がいなければ、彼が逃げた後、『いの壱』の部屋のガラス戸は施錠されていなかったはずだ。その共犯者は鯵沢弘美と手を握ることで、自分とは無縁となる高顕氏の財産を手に入れようとしたに違いない。

そこで老婆に変装し、共犯者の解明を計画したのだった。それが不明のままでは、完璧な復讐はできないからだ。ジローの正体が鯵沢弘美で、現在は顧問弁護士の助手をしていることなどは、高顕氏の葬儀の時に知った。

とはいえやはり私が真に復讐したかったのは、鯵沢弘美の方だった。彼の姿が目に入るたび、私は共犯者の解明など諦めて、彼だけでも殺そうとどれほど思ったか知れない。

それほど私は彼が憎かった。彼はジローを殺したのだ。

私の心に住んでいたジローを、無残にも消してしまったのだ。

『いの壱』の部屋に着くと、彼は私を畳の上に押し倒した。私を見下ろして彼は話し始めた。

「俺と二郎とは境遇が酷似していた。捨てられた時期や場所が似ているし、孤児院でも同じ部屋だった。だからあんたが俺たち二人に、同じような手紙を書いたのも理解できる。もし俺が自分の身の上について何も知らなければ、二郎と同じようにあんたに会いに行ってただろう。だけど俺は知っていた。その少し前に、間違いなく俺の祖父だという爺さんが現われていたんだ」

「でもあなたは来たわ。里中二郎という名前を借りて」

私がいうと、彼はにやりと笑った。

「二郎はあの頃、日本中をバイクで旅行している最中だったのさ。俺は奴の部屋の留守番を頼まれていた。あんたからの手紙が奴にも来ていると知って、俺は興味が湧いた。最初はほんの悪戯のつもりさ。悪戯のつもりで、奴になりすましてあんたに会いに行ったんだ。そしてどうやらあんたの探しているのが、二郎らしいとわかった。その時に俺が考えたのは、何とかこのまま二郎になりすませないかということだった。だけどいくら頭を捻っても、ごまかし続ける方法が思いつかない。そのうちにあんたは父親の名前を教えてくれた。一ヶ原高顕だとね。その瞬間俺は決心した。一ヶ原家の財産を奪うためなら、何でもやってやると。だがじつをいうと、俺を決断させる理由がもう一つあった。小林真穂、ここの女将が俺の前に現われたんだ」

「なぜ彼女が？」

「女将は一ヶ原から、あんたが子供探しをしていることを聞いていたらしい。それであんたを監視して、俺のことも知ったんだ。しかもあの女は、俺が偽物だということまで気づいていた。だがそれを責めたりはしなかった。あの女は俺に、一ヶ原の子供に化け続けることを命じたのさ。大した女だよ。一ヶ原の遺産をそっくり相続したら、俺を自分の養子にするつもりだった」

長年日陰の身に甘んじてきた真穂が、最後の最後で高顕氏を裏切ったというのか。

「化けるといっても、里中二郎のふりをし続けるということじゃないでしょ。一ヶ原氏の子供は鰺沢弘美だったというふうに、そもそもの前提をそっくり変えてしまおうということだったのね」

弘美は頷いた。

「やるべきことは簡単だよな。あんたがワープロで作成中だった報告書の、里中二郎という欄を鰺沢弘美に書きかえておくだけでいい。後はあんたの部屋から、矛盾となるようなものが出てこないようにする必要があるがね」

「そして最後にあたしと本物の二郎を殺す」

「もう一人だ」と弘美は笑って答えた。「俺の本当の出生を知っている人間に、生きててもらうわけにはいかないからな」

「本当の出生？」

いってから私は気づいた。「あの夜、里中二郎が轢いた老人というのは……」

「俺の爺さんさ」

平気な顔で、さらりといった。「あの夜のことを話してやろう。俺は二郎に連絡をとり、この近くで会うことにしてあった。二郎はここまでバイクで来た。俺は奴の車を借りてやって来た。もちろんその前に、俺の祖父だと名乗る爺さんを轢き殺していたのさ」

「そして二郎を殺した……」

「あの夜この宿に、奴の好きな作家が来るということにしてあったんだ。そうしてその部屋を訪ねようというのが、あの時の俺たちの計画だった。奴は青酸カリ入りのコーヒーを飲む時まで、その作家に何と挨拶すればいいのか考えていたぜ」

私は首を振った。

「その上さらにあたしの首を締めた。それから里中二郎の死体を運び入れて、あなたは逃げだす。あとは小林真穂の仕事ね。戸締まりをした上で、部屋に火をつけた。これで邪魔者は全員いなくなる」

「うまい手だろ。一石二鳥どころか、三鳥にも四鳥にもなった」

「その後あなたはどこにいたの？」

「自分の部屋にいたさ。一ヶ原があんたの部屋から子供探しに関する資料を見つければ、時間の問題で俺のところに来るはずだと思ってね」

「それで高頴氏は、あなたのところに行ったの？」

「来たさ。ひとりで直接アパートに訪ねてきたんだ」

「何を話したの？」

「昔のことを、いろいろと。孤児院のこととかね」

その時の高頴氏の心情を思い、私は胸が痛くなった。相手が自分の本当の息子を殺した犯人だとは、夢にも思わなかっただろう。

「俺が定職についてないと知ると、一ヶ原は俺を古木弁護士に預けたんだ。どうやら自分の寿命がそれほど長くないと知っていたらしいな」

「高顕氏が亡くなった時には、嬉しかったでしょうね」

「そりゃあそうさ。これで全財産が俺のものだ。今まで良いことなんかひとつもなかったんだから、これぐらいのラッキーがあったっていいじゃないか。俺は今回の遺言書公開を、それこそ首を長くして待っていたぜ。それだけにこっちへ来て、小林真穂から由香殺しの事情を聞かされた時には頭を抱えた。下手をすると計画がぶちこわしになりそうだし、真穂は由香から奪った遺書をどこかに隠してしまう」

たぶん真穂は弘美を脅す決め手になると思って、遺書を隠したのだ。

「気になったのは、もう一人由香を殺そうとした者がいるということだった。俺は何とかそいつにすべての罪を着せてしまおうと考えたのだが、それがまさか――」

彼はため息をついた。「あんただったとはな」

「あたしが警察に捕まったら、おおごとですものね」

いいながら私は自分のバッグの前に移動していた。彼に見られぬよう、バッグのポケットを探る。

「俺の計画は完璧だったんだよ。ただ一つミスがあったとすれば、あの時」

スキットルが手に触れた。

弘美はじっと私の顔を見た。「毒を使わずに、首を締めてあんたを殺そうとしたことだ。まさか蘇生(そせい)するとは夢にも思わなかった」

「なぜ毒を使わなかったの」

「そうだな、いろいろと理由はあるが」

彼は加奈江が『奇麗』と表現したほどの顔を歪めていった。「一番の理由は、いつもあんたの首を締めたいと思っていたってことだな」

「いつも?」

「あんたを抱く時だよ」と彼はいった。「野望のために、我慢して抱いてたんだ。本心をいわせてもらうなら、嫌で嫌でたまらなかったね。このまま首を締めてやれたらどれほどすっきりすることかと、ベッドの中で思っていたんだ」

彼の言葉を、空虚な気持ちで私は聞いていた。もしかしたら彼の心の中に、私を想う気持ちが少しぐらいはあったのではないか——そんな幻想を抱いていたことを私は恥じた。

ジローは死んだ。私のジローは完全に消えてしまった。

「さて、そろそろやばいな」

弘美が周りに目をやった。火がこの部屋にも移り始めていた。彼が一歩前に出た。手にはいつの間に用意したのか、ナイフが握られていた。

「それで刺したら、焼け死んだようには見えないわ」

「かまわんさ。自殺したと思うだけだ」

私は手を後ろに回し、例のスキットルを握りしめていた。何という巡り合わせ。私自身が仕組んだわけでもないのに、願ったとおりの状況ができているではないか。

「わかったわ」

彼の方にぐいと胸を突き出した。そうしながら、腰の後ろでスキットルの蓋を開けた。

「刺せばいい。あたしを殺せばいい」

弘美の顔がひきつったようになり、次の瞬間体当たりするように向かってきた。彼が刺したのは、私の右胸だった。重く、鈍い衝撃。痛みはないが、全身に痺(しび)れが走った。

だが私は倒れなかった。右手で彼の身体にしがみつき、左手でスキットルの中身を私たちの身体にふりかけたのだ。

ガソリンの強い臭いが鼻をついた。弘美の顔が恐怖に怯えた。

「何をするんだ」

「死にましょう、一緒に」

私は両腕の力をふりしぼって、弘美の身体を抱きしめた。彼は必死でもがいている。しかし私は放さなかった。この瞬間のために、今まで死ななかったのだから。

「放せ、放せ、放せ」

ジローが叫ぶ。吠えるように叫ぶ。

ああ、暴れないでジロー。私のジロー。
意識が遠のいていく。炎はすぐそばだ。
誰かが叫んでいる。その声も遠くから聞こえてくるようだ。
一瞬目の前が赤くなり、やがて白い闇が私たちを包んだ。

一九九一年七月　カッパ・ノベルス(光文社)刊　『回廊亭の殺人』改題

光文社文庫

長編推理小説
回廊亭殺人事件
著者　東野圭吾（ひがしのけいご）

1994年11月20日　初版1刷発行
2000年7月1日　12刷発行

発行者　濱井　武
印刷　堀内印刷
製本　榎本製本

発行所　株式会社光文社
〒112-8011 東京都文京区音羽1-16-6
電話　(03)5395-8149　編集部
8113　販売部
8125　業務部
振替　00160-3-115347

ISBN4-334-71968-6　Printed in Japan

お願い　光文社文庫をお読みになって、いかがでございましたか。「読後の感想」を編集部あてに、ぜひお送りください。

このほか光文社文庫では、どんな本をお読みになりましたか。これから、どういう本をご希望ですか。どの本も、誤植がないようつとめていますが、もしお気づきの点がございましたら、お教えください。ご職業、ご年齢などもお書きそえいただければ幸いです。

光文社文庫編集部

光文社文庫　目録

光文社文庫　目録

藤田宜永　ダブル・スチール
藤田宜永　ボディ・ピアスの少女
藤田宜永　遠い殺人者
藤田宜永　野薔薇の殺人者
藤田宜永　失踪調査
藤田宜永　蜃気楼を追う男
松岡弘一　復讐屋
松岡弘一　荒鷲スーパーウェポン
松岡弘一　荒鷲デス・アタック
松本清張　網（あみ）（上・下）
ミステリー文学資料館編　「ぷろふいる」傑作選
ミステリー文学資料館編　「探偵趣味」傑作選
ミステリー文学資料館編　「シュピオ」傑作選
皆川博子　闇椿
峰隆一郎　横浜外人墓地殺人事件
宮部みゆき　東京下町殺人暮色
宮部みゆき　スナーク狩り
宮部みゆき　長い長い殺人

宮部みゆき　鳩笛草　燔祭／朽ちてゆくまで
森村誠一　影の祭り
森村誠一　指名手配
森村誠一　完全犯罪の使者
森村誠一　終列車
森村誠一　終着駅
森村誠一　凍土の狩人
森村誠一　死都物語
森村誠一　真昼の誘拐
森村誠一　誇りある被害者
森村誠一　致死海流
森村誠一　日蝕の断層
森村誠一　死導標
森村誠一　悪夢の設計者（デザイナー）
森村誠一　死を描く影絵
森村誠一　殺人の赴任
森村誠一　路
森村誠一　殺人の組曲

森村誠一　偽完全犯罪
森村誠一　星の旗（上・下）
山田詠美編　せつない話
山前譲編　殺意の宝石箱
山前譲編　恐怖の化粧箱
山前譲編　秘密の手紙箱
山村美紗　愛の海峡殺人事件
山村美紗　京都絵馬堂殺人事件
山村美紗　琵琶湖別荘殺人事件
山村美紗　恋人形殺人事件
山村美紗　京都・十二単衣殺人事件
山村美紗　京都・神戸殺人事件
山村美紗　財テク夫人殺人事件
山村美紗　燃えた花嫁
山村美紗　京友禅の秘密
山村美紗　花の棺
山村美紗　黒百合の棺
山村美紗　ガラスの棺